ASSIMIL évasion

LANGUES
ASSIMIL
DE POCHE

D0755337

Mise en pages : **ASSIMIL** France

© Assimil 1996

ISBN 2-7005-0196-9
ISSN 1281-7554

La version originale de cet ouvrage est parue en allemand sous le titre : **Spanisch Wort für Wort**, aux éditions Reise Know-How Verlag Peter Rump GmbH, Bielefeld.

_____ **ASSIMIL** évasion_____

L'espagnol de poche

d'après O' Niel V. Som
adaptation française de Julia Alvarez-Grosser

Illustrations de J.-L. Goussé

ASSIMIL®

B.P. 25
94431 Chennevières-sur-Marne Cedex
FRANCE

Dans sa collection **Évasion**
ASSIMIL vous propose

• Langues de poche

Afrikaans	Créole guyanais	**Kabyle**
Albanais	**Créole haïtien**	**Malgache**
Allemand	**Créole martiniquais**	Marseillais
Anglais pour	**Créole mauricien**	**Néerlandais**
globe-trotters	Créole réunionnais	**Norvégien**
Anglais australien	**Croate**	**Picard**
Arabe algérien	**Danois**	**Polonais**
Arabe égyptien	**Espagnol**	**Portugais**
Arabe marocain	**Espagnol d'Argentine**	**Québécois**
Arabe tunisien	**Espagnol de Cuba**	Roumain
Arabe des pays du Golfe	**Flamand**	**Russe**
Auvergnat	Gascon	**Serbe**
Basque	**Géorgien**	**Suédois**
Brésilien	**Grec**	**Tagalog**
Breton	Hébreu	**Tamoul**
Bruxellois	**Hiéroglyphe**	**Tchèque**
Calédonien	**Hongrois**	**Thaï**
Catalan	**Indonésien**	**Turc**
Chinois	**Irlandais**	**Vietnamien**
Chtimi	**Islandais**	**Wallon**
Coréen	**Italien**	**Wolof**
Corse	**Italien pour fans d'opéra**	
Créole guadeloupéen	**Japonais**	

• Sans interdits (Argot)

Américain sans interdits	**Argot français pour**
Anglais sans interdits	**néerlandophones**
Bruxellois sans interdits	**Wallon sans interdits**
Espagnol sans interdits	

• Français à l'usage des étrangers

Français pour anglophones	**Français pour lusophones**
Français pour germanophones	**Français pour néerlandophones**
Français pour hispanophones	**Français pour Polonais**
Français pour Hongrois	**Français pour russophones**
Français pour Italiens	

Les titres indiqués en gras sont parus. Les autres sont en cours de réalisation et paraîtront prochainement. Renseignez-vous auprès de votre libraire.

SOMMAIRE

Les différents chapitres vont sont donnés dans l'ordre d'apparition. Au sein des chapitres, les rubriques sont classées par ordre alphabétique des mots clés.

Les guides "langue de poche" Assimil sont différents !

Vous prenez :

● Une petite dose de **grammaire** (très digeste...). Rassurez-vous, nous avons pris le parti de la simplicité, ne retenant que les règles nécessaires à votre expression et à votre compréhension. Vous y trouverez toutes les structures de base de la langue pour pouvoir former vos propres phrases très rapidement.

● Une bonne pincée de **conversation**, par laquelle nous vous mettons dans des situations que vous serez appelé à rencontrer au cours de vos voyages. Nous vous simplifions le travail en vous donnant une traduction mot à mot – parfois comique, mais bien utile -, qui vous aidera à comprendre plus vite la structure de la phrases. Vous verrez bientôt qu'avec un peu d'habitude, il vous sera facile, en remplaçant des mots par d'autres (puisés par exemple dans notre lexique), de construire vos propres phrases. L' auteur de cet ouvrage a su choisir en connaissance de cause les expressions les plus utiles à la vie de tous les jours. La littérature viendra plus tard...

Un petit coup de pouce supplémentaire : Dans l'introduction, vous trouverez toutes les indications nécessaires pour bien prononcer.

● Un saupoudrage, réparti au fil des rubriques, de **conseils d'amis** et de tuyaux sur les **coutumes locales**, en rapport avec les thèmes abordés, qui vous aidera à vous sentir moins "étranger".

● Et puis, en dessert : un double **lexique** espagnol-français, français-espagnol.

● Enfin, n'oublions pas le petit zeste d'humour, apporté par nos **illustrations**, qui vous permettra d'apprendre avec le sourire.

Un conseil : ne cherchez pas la perfection ! Vos interlocuteurs vous pardonneront volontiers les petites fautes que vous pourriez commettre au début. **Le plus important, c'est d'abandonner vos complexes et d'oser parler.**

Alors, maintenant, à vous de jouer !

*Notre "langue de poche" Assimil ne prétend pas remplacer un cours de langue, mais si vous investissez un peu de temps dans sa lecture et apprenez quelques phrases, vous pourrez très vite communiquer. Tout sera alors différent, vous vivrez une expérience nouvelle. **Vous voilà prêt à devenir un peu plus qu'un simple touriste !***

Vous avez décidé d'aller en Espagne ? Voici un petit guide de conversation qui vous sera vraiment utile durant votre séjour.

Bien entendu, si vous avez l'intention de vous arrêter exclusivement dans des hôtels de luxe où tout le monde parle anglais ou français et où la cuisine est "européenne", et si vous comptez vous limiter à des visites guidées, alors vous n'aurez pas besoin de vous débrouiller en espagnol.

Mais si vous voulez véritablement connaître le pays, partez en explorateur curieux, profitez de chaque occasion pour rencontrer des gens. Avec les bases linguistiques que vous propose cet ouvrage et juste un peu de bonne volonté, vous serez paré pour découvrir l'Espagne et ses habitants.

Ce livre comporte trois grands chapitres : la grammaire, où les principales règles de base vous sont expliquées de manière simple et concise ; les phrases les plus utiles, classées par thèmes ; les lexiques (espagnol-français et français-espagnol).

Vous pourrez commencer votre lecture par la grammaire ou par les phrases – l'ordre n'a pas d'importance.

Au fil des pages, vous trouverez également toute une série de renseignements et de conseils pratiques.

Et maintenant, **¡Buen viaje!** (Bon voyage !)

Les langues d'Espagne

Avant de commencer, sachez qu'en Espagne plusieurs langues cohabitent, dont :

● **Le basque (euskera)**

Cette langue ne ressemble à aucune des trois autres, ses origines n'ont à ce jour pas encore pu être clairement déterminées. On sait qu'elle était déjà parlée avant l'arrivée des Romains.

● **Le galicien (galego)**

Le galicien est très proche du portugais. On le parle en Galice, région limitrophe du Portugal. Les règles de cette langue furent répertoriées et définies pour la première fois par écrit en 1975, dans un ouvrage scolaire, mais la seconde édition de ce même ouvrage, en 1980, comportait déjà de nombreuses modifications.

● **Le catalan (català)**

Parlé en Catalogne, en Andorre, aux Baléares mais aussi dans le sud de la France, le catalan a une longue tradition littéraire qui remonte au début du Moyen-Âge.

● **Le castillan (castellano)**

Parlé au départ uniquement en Castille (en particulier dans la région de Madrid), le castillan est aujourd'hui la première des langues officielles d'Espagne, celle qu'on appelle communément "espagnol". Partout où vous irez, y compris en Galice, en Catalogne, au Pays basque espagnol et aux Baléares, vous pourrez communiquer en castillan. C'est la raison pour laquelle nous avons choisi de faire ce livre en castillan. Par ailleurs, c'est la langue parlée (avec quelques petites variantes) dans plus de vingt pays d'Amérique, depuis la Californie jusqu'en Argentine.

Prononciation et accent tonique

Les Espagnols parlent souvent très vite – votre oreille devra s'y habituer – mais rassurez-vous, la prononciation est en réalité très simple.

● **Voyelles et groupes de voyelles**

Lettre (s)	Prononciation	Exemple
a	a, comme en français	**cama** (le lit)
e	é	**pero** (mais) – prononcez "péro"
i/y	i, comme en français	**mira** (regarde)
o	o, comme en français	**otro** (autre)
u	ou	**una** (une) – prononcez "ouna"

Prononcez les voyelles très distinctement et détachez-les toujours de la lettre qui suit. Ainsi, n'oubliez pas : la combinaison "ei" se prononce "éï", "ai/ay" se prononce "aï", "ue" donne "oué", "ie" donne "ié", etc.

Sachez également que le son "an" français n'existe pas en espagnol. **Antonio** se prononce donc "anntonio", en détachant bien le a du n. De même dans **entonces** (alors), prononcez "énntonncéss".

● Consonnes et groupes de consonnes

Lettre(s)	Prononciation	Exemples
ch	tch	**ocho** (huit) – prononcez "otcho"
j	comme un r très raclé	**rojo** (rouge) – arrivé au "j", raclez doucement la gorge
ll	comme un y + voyelle	**llegar** (arriver) – prononcez "yégar"
ñ	gne	**niño** (enfant, garçon) – prononcez "nignio" **niña** (fillc) – prononcez "nignia"
qu	comme en français	**queso** (fromage) – prononcez "késso"
r	le r est "roulé"	**rico** (riche) – la pointe de la langue relevée, l'air doit doucement sortir de votre bouche
rr	comme deux r roulés	**arroyo** (ruisseau) – doublez bien le r roulé
s	ss, que ce soit au début, au milieu, ou en fin de mot	**seso** (cerveau, cervelle) – prononcez "ssésso", pluriel "sséssoss"
v	entre v et b	**vaca** (vache)
z	comme un s zozoté	**zapato** (chaussure) – prononcez "ssapato" en zozotant

Les autres consonnes se prononcent comme en français.

- **Prononciation de c et g**
  Comme en français, ces deux lettres se prononcent différemment selon la voyelle qu'elles précèdent – il est donc important de connaître ces règles :
- **ca** et **co** se prononcent comme en français. Quelques exemples : **cama** (lit) donne "kama" ; **coco** (cocotier, noix de coco) donne "koko".
- **cu** se prononce "kou" : **cuchara** (cuiller) se prononce donc "koutchara".
- **ce** se prononce "ssé" (légèrement zozoté) : **cerdo** (porc, cochon) donne "ssérdo".
- **ci** se prononce "ssi"(légèrement zozoté aussi) : **cigarro** (cigare) se dit "ssigarro".
- **ga** et **go** se prononcent comme en français : **garganta** (gorge) donne "gargannta" et **golpe** (coup) se dit "golpé".
- **gu** se prononce "gou" : **gusto** (goût) se dira donc "goussto".

Attention : dans les combinaisons **gi** et **ge**, le g prend la même prononciation que le j espagnol. Rappelez-vous qu'il faut racler doucement la gorge.
- **gue** donne "gué" : **guerra** (guerre) se prononce "guérra".
- **güe** donne "goué" : **cigüeña** (cigogne) se prononce "ssigouégnia".
- **gua** donne "gua" : **guacamole** (salade d'avocat) se dit "gouacamolé".
- **gui** donne "gui": **guitarra** (guitare) se dit "guitarra".
- **güi** donne "goui" : **güira** (arbre tropical) se prononce "gouira".

- **Remarques :**
- Les **z**, **ce** et **ci** sont "zozotés" en castillan pur, mais peuvent aussi se prononcer "ss" dans certaines régions.
- Le **d en fin de mot** se prononce à peine ou pas du tout.
- N'oubliez pas de toujours prononcer le **s** "ss" et le **e** "é", même en fin de mot.

- **L'accent tonique**

- La plupart des mots se terminant par une voyelle, par n ou par s prennent l'accent tonique sur l'avant-dernière syllabe : **c<u>a</u>ma, cig<u>a</u>rro, ex<u>a</u>men, fr<u>í</u>o**.

- Les mots terminés par une consonne (sauf n et s) prennent l'accent tonique sur la dernière syllabe : **profes<u>or</u>, man<u>tel</u>**.

- Les mots qui ne suivent aucune de ces deux règles portent toujours un accent écrit : **<u>ár</u>bol, pur<u>é</u>, avi<u>ón</u>**.

- Les mots qui portent l'accent tonique sur l'antépénultième (avant-avant-dernière syllabe) prennent également toujours un accent écrit : **m<u>é</u>dico**.

Orthographe et ponctuation

En espagnol (castillan), les lettres se prononcent toujours de la même façon. Les seules lettres muettes sont le h, et le d plus ou moins, s'il se trouve en fin de mot. Lorsque vous vous serez familiarisé avec les règles de prononciation, vous n'aurez plus aucune difficulté à orthographier les mots.

Pour ce qui est de la ponctuation, pas de différence entre l'espagnol et le français si ce n'est que les interrogations commencent toujours par un point d'interrogation inversé, et les exclamations par un point d'exclamation inversé :

¿Tienes frío? (Est-ce que tu as froid ?) / **¡Tengo frío!** (J'ai froid !)

Quelques mots utiles

Voici les premiers mots qui vous permettront de vous faire comprendre en espagnol :

- *¿Tiene…?*   Avez-vous… ?
- **¿Tiene sellos?**   Avez-vous des timbres ?
- **¿Tiene patatas fritas?**   Avez-vous des frites ?

La réponse sera **sí** (oui) ou **no** (non).

- *Quisiera…*   Je voudrais…
- **Quisiera tomar un café.**   Je voudrais prendre un café.
- **Quisiera tomar una cerveza.**   Je voudrais prendre une bière.

- **No** + verbe

Pour former une phrase négative, il suffit de commencer par **no** :
- **No quiero café.**   Je ne veux pas de café.
- **No quiero comer.**   Je ne veux pas manger.

Autre phrase qui peut s'avérer importante : **Te quiero.** (Je t'aime.)

- *¿Dónde está?*   Où est… ?
       / Où se trouve… ?
- **¿Dónde está el servicio?**   Où sont les toilettes ?
- **¿Dónde está la estación?**   Où se trouve la gare ?

La réponse sera dans la plupart des cas accompagnée d'un geste vous indiquant la chemin, ce qui simplifie les choses, mais sachez aussi que "tout droit" se dit **todo recto**, "à droite" **a la derecha**, et "à gauche" **a la izquierda**.

- *¿Cuánto cuesta?*   Quel est le prix de… ?
       / Combien coûte… ?
- **¿Cuánto cuesta un billete?**   Combien coûte un billet ?
- **¿Cuánto cuesta este libro?**   Quel est le prix de ce livre ?
- **¿Cuánto cuesta esto?**   Combien ceci coûte-t-il ?

Pour comprendre la réponse, voir les chiffres page 51.

Les pages que vous venez de lire vous ont donné les tout premiers rudiments de la langue. Mais pour former de véritables phrases, vous devrez avoir quelques notions supplémentaires dans trois domaines :

1. Le vocabulaire

Vous trouverez en fin d'ouvrage un double lexique d'environ 1 000 mots, ce qui est en principe amplement suffisant pour la conversation de tous les jours. Ceci dit, rien ne vous empêche de glisser, en plus, un petit dictionnaire dans vos bagages.

DÓNDE ESTÁ EL SERVICIO?

2. Les diverses formes des mots

Comme en français, les terminaisons peuvent varier et modifier le sens des mots. Le pluriel, par exemple, est généralement matérialisé par un **s**. Dans ce livre, nous ne vous indiquons cependant pas toutes les formes possibles pour chaque mot, car le débutant que vous êtes encore risquerait de se trouver quelque peu dérouté.

Pour ce qui est des verbes, nous avons fait le choix de ne vous expliquer en détail que l'un des temps. Une fois sur place, nul n'attendra de vous que vous vous exprimiez en espagnol parfait. Le plus important sera de vous faire comprendre aussi facilement que possible. Notre objectif est de vous y aider, et ce principe s'applique d'ailleurs à tous les ouvrages de la collection *Langues de poche Assimil*.

3. L'ordre des mots

L'ordre des mots dans une phrase est très proche du français et ne devrait pas vous poser de problème. Nous nous contenterons de vous donner les principales règles. De plus, vous trouverez sous la plupart des phrases la traduction mot à mot (en petits caractères), ce qui vous aidera à mieux comprendre.

Les noms communs

● **Les genres**

Comme en français, il y a en espagnol des noms masculins et des noms féminins. Il est facile de connaître le genre en observant la terminaison des noms. Pour vous faciliter les choses, nous vous indiquerons – si nécessaire – le genre et le nombre de la façon suivante : **m** pour le masculin, **f** pour le féminin, et **pl** pour le pluriel.

● **Les articles**

Ici encore, l'espagnol est très proche du français, la seule différence est que l'article espagnol marque également les deux genres au pluriel :

Articles définis	*masculin*	*féminin*
singulier	**el** (le)	**la** (la)
pluriel	**los** (les)	**las** (les)

Articles indéfinis	*masculin*	*féminin*
singulier	**un** (un)	**una** (une)
pluriel	**unos** (des)	**unas** (des)

● **Les noms masculins**

Ils se terminent généralement en **-o**, ou **-or**, et parfois en **-a** :

el libro	**el calor**	**el clima**
(le livre)	(la chaleur)	(le climat)

● **Les noms féminins**

Ils se terminent en **-a**, **-ción**, **-sión**, **-dad**, **-tad** ou **-ez** :

la tierra	**la canción**	**la amistad**
(la terre)	(la chanson)	(l'amitié)

la intimidad	**una vez**
(l'intimité)	(une fois)

● **Les noms en -e**

Ils peuvent être masculins ou féminins :
la leche (f)   le lait
el cine (m)   le cinéma, le ciné

Il existe bien entendu des exceptions – nous vous les indiquerons lorsque nous les rencontrerons dans la partie "vocabulaire".

● **Le pluriel**

Tous les mots se terminant par une voyelle (soit a, e, i, o, u) au singulier prennent un **-s** au pluriel ; les mots qui se terminent par une consonne ou par **y** prennent **-es** :
libro / libros (livre/livres) **ciudad / ciudades** (villes / villes)
Quant aux mots en **-s** au singulier, ils restent inchangés au pluriel :
la crisis / las crisis (la crise / les crises).

19

Les adjectifs

Les adjectifs s'accordent en genre et en nombre avec le nom auquel ils se rapportent. Ils sont divisés en deux groupes :

● **Les adjectifs en -o / -a**
Leur genre ressort clairement de leur terminaison (**-o** pour le masculin, **-a** pour le féminin). Au pluriel, il suffit d'ajouter **-s**.

– **el libro pequeño**
le livre petit
le petit livre

los libros pequeños
les livres petits
les petits livres

– **la camisa pequeña**
la chemise petite
la petite chemise

las camisas pequeñas
les chemises petites
les petites chemises

● **Les autres adjectifs**
Ils ont la même forme au masculin et au féminin, et se terminent en **-es** au pluriel.

– **el libro azul**
le livre bleu

los libros azules
les livres bleus

– **la camisa azul**
la chemise bleue

las camisas azules
les chemises bleues

Comme vous le constatez, les adjectifs sont généralement placés derrière le nom. Il existe cependant quelques cas où ils peuvent se placer devant le nom. Quelques exemples :

grande   grand
un gran cantante   un grand chanteur

primero	premier
primer piso	premier étage

ninguno	aucun
ningún chico	aucun garçon

bueno	bon
buen viaje	bon voyage

malo	mauvais
hace mal tiempo	il fait mauvais

Remarquez qu'au masculin, l'adjectif placé devant un nom perd sa dernière lettre. Ce n'est pas le cas au féminin : **la primera casa** (la première maison) ; **ninguna chica** (aucune fille), etc.

Le comparatif et le superlatif

Vous avez le choix entre **más** (plus), **el más / la más** (le plus, la plus) ou la terminaison **-ísimo/-ísima**.

- au masculin :

caro	cher
más caro	plus cher
el más caro	le plus cher
carísimo	extrêmement cher

- au féminin :

cara	chère
más cara	plus chère
la más cara	la plus chère
carísima	extrêmement chère

Au pluriel, ajoutez simplement un **s** là où il n'y en a pas !

21

● **Más… que (plus… que) ; el más / la más (le plus / la plus)**

La construction est exactement la même qu'en français.

a.   **Manuel es más tímido que Ricardo.**
       Manuel est plus timide que Ricardo.

b.   **Soledad es la más inteligente de todos.**
       Soledad est la plus intelligente de tous.

       Javier es el más grande.
       Javier est le plus grand.

JAVIER ES EL MÁS GRANDE

Muy (très) et mucho (beaucoup)

● Avec **muy,** aucune difficulté pour vous.

> **Carmen es muy guapa.**
> Carmen est très jolie.

● La construction avec **mucho** est la même qu'en français. Attention cependant à une différence : lorsque **mucho** représente une quantité, et qu'il se réfère donc à un nom, il s'accorde avec le nom auquel il se rapporte. Voici quelques exemples :

a. Mucho se rapporte à un verbe

> **La casa me gusta mucho.**
> La maison me plaît beaucoup.

b. Mucho se rapporte à un nom

> – **Tengo muchos amigos.** (m/pl)
> J'ai beaucoup amis.
> J'ai beaucoup d'amis.

> – **Tengo muchas vacaciones.** (f/pl)
> J'ai beaucoup vacances.
> J'ai beaucoup de vacances.

> – **Mucha gente.** (f/s)
> Beaucoup gens.
> Beaucoup de monde.

Remarquez, dans ce dernier exemple, que **la gente** (les gens) est au singulier.

Autour du verbe

Il existe trois groupes de verbes.

- Premier groupe : verbes en **-ar**, comme **hablar** (parler)
- Deuxième groupe : verbes en **-er**, comme **comer** (manger)
- Troisième groupe : verbes en **-ir**, comme **vivir** (vivre)

Les pronoms personnels existent, bien entendu, en espagnol, mais sont surtout employés lorsqu'on veut insister sur la personne (moi, je…). Ils sont donc généralement omis et leur absence ne pose aucun problème pour la compréhension dans la mesure où la terminaison du verbe indique clairement la personne.

- **hablar (-ar)**

hablo	je parle	**hablamos**	nous parlons
hablas	tu parles	**habláis**	vous parlez
habla	il/elle parle	**hablan**	ils/elles parlent

- **comer (-er)**

como	je mange	**comemos**	nous mangeons
comes	tu manges	**coméis**	vous mangez
come	il/elle mange	**comen**	ils/elles mangent

- **vivir (-ir)**

vivo	je vis	**vivimos**	nous vivons
vives	tu vis	**vivís**	vous vivez
vive	il/elle vit	**viven**	ils/elles vivent

Les verbes irréguliers

Certains verbes à terminaison régulière subissent une modification de la base. Cette modification concerne uniquement la première, la deuxième et la troisième personne du singulier ainsi que la troisième personne du pluriel.

le **e** de la base se transforme en **ie**

le **o** de la base se transforme en **ue**

● **empezar** (commencer)

empiezo	je commence	**empezamos**	nous commençons
empiezas	tu commences	**empezáis**	vous commencez
empieza	il/elle commence	**empiezan**	ils/elles commencent

● **dormir** (dormir)

duermo	je dors	**dormimos**	nous dormons
duermes	tu dors	**dormís**	vous dormez
duerme	il/elle dort	**duermen**	ils/elles dorment

Autres verbes présentant cette irrégularité :

despertarse	se réveiller	**encontrar**	trouver
pensar	penser	**volver**	revenir
entender	comprendre	**almorzar**	déjeuner
perder	perdre	**probar**	goûter, prouver
sentir	sentir, regretter	**poder**	pouvoir
cerrar	fermer	**contar**	conter, raconter
preferir	préférer	**morir**	mourir
querer	vouloir, aimer	**soñar**	rêver

Les verbes les plus utilisés dans le langage courant sont souvent irréguliers. Ceci est le cas dans la plupart des langues. Essayez de bien vous souvenir des conjugaisons des verbes ci-après – vous aurez certainement à vous en servir.

● **ir** (aller)   : **voy, vas, va, vamos, vais, van**.

● **tener** (avoir)   : **tengo, tienes, tiene, tenemos, tenéis, tienen**.

● **venir** (venir)   : **vengo, vienes, viene, venimos, venís, vienen**.

● **decir** (dire)   : **digo, dices, dice, decimos, decís, dicen**.

● **dar** (donner)   : **doy, das, da, damos, dais, dan**.

Au présent, les verbes suivants ne présentent une irrégularité qu'à la première personne du singulier :

caer →	**caigo**	(je tombe)
hacer →	**hago**	(je fais)
oír →	**oigo**	(j'entends)
poner →	**pongo**	(je mets)
saber →	**sé**	(je sais)
salir →	**salgo**	(je sors)
traer →	**traigo**	(j'apporte)
ver →	**veo**	(je vois)

Les verbes en **-cer** ou **-cir** prennent un **z** à la première personne du singulier : **conducir** donne **conduzco** (je conduis) ; **conocer** donne **conozco** (je connais), etc.

Nous ne pouvons évidemment pas vous donner la liste complète des verbes irréguliers. Sachez cependant que vous les trouverez dans tout bon dictionnaire.

L'impératif

Nous nous contenterons de vous donner les emplois du tutoiement et du vouvoiement au singulier. Ce sont ces deux formes que vous rencontrerez le plus fréquemment.

● verbes en **-ar** : base (ou radical) du verbe **+ a** pour le "tu", **+ e** pour le "vous".

mira	regarde	**mire**	regardez
toma	prends	**tome**	prenez
disculpa(me)	excuse-moi	**disculpe(me)**	excusez-moi
perdona(me)	pardonne-moi	**perdone(me)**	pardonnez-moi

● verbes en **-er** : base du verbe **+ e** pour le "tu", **+ a** pour le "vous".

promete	promets	**prometa**	promettez

- verbes en **-ir** : base du verbe **+ e** pour le "tu", **+ a** pour le "vous".
  decide   décide   **decida**   décidez

Comme nous l'avons déjà dit, beaucoup de verbes parmi les plus courants présentent des irrégularités – c'est aussi le cas à l'impératif. Quelques exemples :

- **oír** (entendre)   **oye(me)** : écoute(-moi)   **oiga(me)** : écoutez(-moi)
- **decir** (dire)   **di(me)** : dis(-moi)   **diga(me)** : dites(-moi)
- **venir** (venir)   **ven** : viens   **venga** : venez
- **hacer** (faire)   **haz(me)** : fais(-moi)   **haga(me)** : faites(-moi)
- **poner** (mettre)   **pon** : mets   **ponga** : mettez
- **traer** (apporter) **trae(me)** : apporte(-moi) **traiga(me)** : apportez(-moi)
- **ser** (être)   **seas** : sois   **sea** : soyez
- **tener** (tenir)   **ten** : tiens   **tenga** : tenez

Pour mettre l'impératif à la forme négative, on utilise en fait le subjonctif présent précédé de **no**. Ceci n'a pas d'impact sur la forme du vouvoiement, mais entraîne un changement à la deuxième personne du singulier :

no mires	ne regarde pas	**no prometas**	ne promets pas
no vengas	ne viens pas	**no digas**	ne dis pas
no tomes	ne prends pas	**no traigas**	n'apporte pas
no seas	ne sois pas	**no pongas**	ne mets pas
no hagas	ne fais pas	**no tengas**	n'aie pas

Pour la forme avec **me**, nous aurons alors :

no me mires (ne me regarde pas)   **no me digas** (ne me dis pas), etc.

Tu et vous

En Espagne, le tutoiement est de plus en plus répandu : entre jeunes systématiquement, entre collègues, etc.

Pour ce qui est du "vous", sachez qu'il y a trois choix possibles :

1. Tutoiement pluriel. Comme en français, on emploie dans ce cas la deuxième personne du pluriel. Exemple : **¿Qué hacéis?** (Qu'est-ce que vous faites ?)

2. Vouvoiement singulier. Dans ce cas, il faut employer la troisième personne du singulier : **¿Tiene café?** (Avez-vous du café ?). Généralement, on sait selon le contexte s'il s'agit d'un vouvoiement ou si l'on parle d'une tierce personne. Cependant, pour qu'aucun doute ne soit possible, on peut ajouter **usted**, qui est le "vous de politesse" :

¿Usted tiene café? ou **¿Tiene usted café?** (Avez-vous du café ?). À l'écrit, il vous arrivera sans doute de voir "**usted**" abrégé en "**Vd**".

3. Vouvoiement pluriel. Le pluriel de **usted** est **ustedes** (abréviation : **Vds**). Pour vouvoyer plusieurs personnes, on emploie la troisième personne du pluriel : **¿Tienen café?** ou **¿Ustedes tienen café?**, etc.

Les deux verbes "être"

En espagnol, il existe deux façons différentes d'exprimer le verbe être.

● **Estar**

estoy	je suis	**estamos**	nous sommes
estás	tu es	**estáis**	vous êtes
está	il/elle est	**están**	ils/elles sont

28

On emploie **estar** pour

a. situer dans l'espace :

El cine Asturias está cerca de mi casa.
Le cinéma Asturias est près de ma maison.

b. exprimer un état d'esprit, une humeur, un état physique momentané :

Francisco está bien, pero Carmen está enferma.
Francisco est bien, mais Carmen est malade.
Francisco va bien, mais Carmen est malade.

Estamos muy cansados.
Nous sommes très fatigués.

ESTAMOS MUY CANSADOS

● **Ser**

soy	je suis	somos	nous sommes
eres	tu es	sois	vous êtes
es	il/elle est	son	ils/elles sont

On emploie **ser** pour

a. exprimer une caractéristique liée à la nature d'une personne ou d'une chose (ce qui inclut les couleurs) :

Isabel es muy simpática.
Isabel est très sympathique.

El coche de Jorge es verde.
La voiture de Jorge est verte.

b. indiquer la profession, la religion, la nationalité :

Soy estudiante, Carlos es cocinero.
Je suis étudiant, Carlos est cuisinier.

Somos franceses.
Nous sommes Français.

c. identifier une personne, indiquer l'appartenance, la provenance :

Yo soy Ana Moya, soy de Murcia.
Je suis Ana Moya, je suis de Murcie.

Es mi tía.
C'est ma tante.

Comment exprimer "il y a"

a. Pour exprimer une durée passée, on utilise la forme impersonnelle de la troisième personne du singulier de **hacer** (faire) : **hace**.

Hace quince días que ha llamado.
Il y a quinze jours qu'il a appelé *ou* Cela fait quinze jours qu'il a appelé.

Hace quince años que vivo en Madrid.
Il y a quinze ans que j'habite à Madrid *ou* Cela fait quinze ans que je vis à Madrid.

b. Dans tous les autres cas, on utilise **hay**, forme impersonnelle de **haber** (y avoir).

Hay una farmacia cerca de mi casa.
Il y a une pharmacie près de ma maison.

No hay luz.
Il n'y a pas de lumière.

Exprimer un devoir, une obligation

Il y a diverses façons d'exprimer la notion de "devoir" en espagnol. Contentons-nous ici des deux formes que vous rencontrerez le plus souvent : **tener que** + verbe à l'infinitif, et **deber**. Vous trouverez la conjugaison complète du verbe **tener** (avoir) dans les verbes irréguliers des pages précédentes. **Tener que** exprime une obligation forte équivalente à "il faut que" ; **deber** est à peu près équivalent mais sous-entend souvent une obligation d'ordre moral.

Tengo que irme.
Je dois m'en aller / Il faut que je m'en aille.

Tienes que dormir un poco.
Tu dois dormir un peu / Il faut que tu dormes un peu.

Tenemos que comprar un regalo para Cristina.
Nous devons acheter / Il faut que nous achetions un cadeau pour Cristina.

Debemos respetar la ley.
Nous devons respecter la loi.

● **Deber** (devoir) : **debo, debes, debe, debemos, debéis, deben.**

Pouvoir : poder

On emploie ce verbe dans les mêmes circonstances qu'en français. Dans la mesure où vous le rencontrerez fréquemment, voici sa conjugaison au présent :

● **Poder** (pouvoir) : **puedo, puedes, puede, podemos, podéis, pueden.**

¿Puedo fumar?
Est-ce que je peux fumer ?

Pueden sentarse aquí.
Vous pouvez vous asseoir ici.

Savoir : saber

Encore un verbe d'usage fréquent que vous n'aurez aucune difficulté à utiliser.

● **Saber** (savoir) : **sé, sabes, sabe, sabemos, sabéis, saben.**

Sabemos leer.
Nous savons lire.

¿Sabes que Francisca se ha casado?
Tu sais que Francisca s'est mariée ?

● **Querer** (vouloir) : **quiero, quieres, quiere, queremos, queréis, quieren.**

a. Aimer dans le sens d' «exprimer de l'amour» : **querer a**.

Quiero mucho a mi abuela.
J'aime beaucoup ma grand-mère.

b. Vouloir

Quiero ver esta película.
Je veux voir ce film.

Quiere escribir un libro.
Il/elle veut écrire un livre.

Souvenez-vous que "je voudrais" se dit **quisiera**.

Exprimer un futur proche

Dans ce cas, on utilise **ir + a**.
● **Ir** (aller) : **voy, vas, va, vamos, vais, van.**

Voy a escribir una carta.
Je vais écrire une lettre.

Vamos a tomar un café.
Nous allons prendre un café.

Exprimer un passé récent

Lorsqu'une action vient de se terminer, on utilise **acabar de** (venir de), littéralement "terminer de".

● **Acabar** (finir, achever) **: acabo, acabas, acaba, acabamos, acabáis, acaban.**

Acabo de llegar.
Je viens d'arriver.

Acaban de comer.
Ils viennent de manger.

Quelques mots concernant le passé

Comme le français, l'espagnol connaît plusieurs manières d'exprimer le passé. Le passé composé se construit comme en français. Vous n'aurez donc aucun mal à vous en servir spontanément. Nous nous contenterons ici de vous donner quelques indications concernant le passé simple, qui est aussi très usité en espagnol.

Tout d'abord, voici quelques mots pour vous aider à situer une action dans le passé :

SIEMPRE

ayer	hier	**anteayer**	avant-hier
antes	avant	**la última vez**	la dernière fois
anoche	hier soir	**todavía**	encore
aún no	pas encore	**ya**	déjà
siempre	toujours		

la semana pasada	la semaine dernière
el mes/año pasado	le mois/l'an dernier

Passé simple des verbes en -ar

● **comprar** (acheter) : **compré, compraste, compró, compramos, comprasteis, compraron.**

Ayer me compré un traje de baño.
Hier me achetal un costume de bain.
Hier je me suis acheté un maillot de bain.

Passé simple des verbes en -er et -ir

● **comer** (manger) : **comí, comiste, comió, comimos, comisteis, comieron.**

Les verbes en **-ir** prennent les mêmes terminaisons.

Anteayer recibí una carta de Andrés.
Avant-hier reçus une lettre d'Andrés.
Avant-hier j'ai reçu une lettre d'Andrés.

Quelques mots concernant le futur

La formule la plus simple est de combiner un verbe au présent avec un mot qui situe dans l'avenir.

Les mots qui vous y aideront :

mañana	demain	**pasado mañana**	après-demain
pronto	bientôt	**más tarde**	plus tard
después	après	**luego, entonces**	alors
al final	pour finir	**hoy**	aujourd'hui
esta noche	cette nuit	**esta tarde**	ce soir
la semana que viene		la semaine prochaine	
el mes que viene		le mois prochain	

Mañana voy a la discoteca.
Demain je vais à la discothèque.

La semana que viene tienes que cenar con nosotros.
La semaine prochaine il faut que tu dînes avec nous.

Les pronoms

Les formes des pronoms sont nombreuses, et vous les donner toutes deviendrait vite fastidieux pour vous. Résumons ci-après les cas que vous rencontrerez le plus souvent.

Les pronoms personnels sujets

Comme vous le savez déjà, on ne les emploie pas lorsqu'il n'y a pas d'ambiguïté quant à la personne indiquée par la terminaison du verbe ou par le contexte. On les utilise cependant lorsqu'on veut éviter toute ambiguïté, pour souligner une opposition ou pour insister sur la personne :

Nosotros queremos ir al cine y ellos al teatro.
Nous, nous voulons aller au cinéma et eux au théâtre.

Remarquez qu'ils se traduisent souvent par "moi, toi, lui", etc.

Yo me voy, ¿y tú? – Yo también.
Moi, je m'en vais, et toi ? – Moi aussi.

Récapitulons :

yo	je, moi	**nosotros**	nous
tú	tu, toi	**vosotros**	vous
él	il, lui	**ellos**	ils, eux
ella	elle	**ellas**	elles
usted	vous de politesse	**ustedes**	vous de politesse pluriel

Notez qu'il existe un féminin pour **nosotros** et **vosotros** : nosotras et **vosotras**. Ces féminins ne peuvent être employés que s'il s'agit exclusivement de personnes de sexe féminin.

Pronoms avec para (pour)

para mí	pour moi	**para nosotros/nosotras**	pour nous (m/f)
para ti	pour toi	**para vosotros/vosotras**	pour vous (m/f)
para él/ella	pour lui/elle	**para ellos/ellas**	pour eux/elles
para usted	pour vous	**para ustedes**	pour vous

La carta es para usted.
La lettre est pour vous.

Pronoms avec con (avec)

conmigo	avec moi	**con nosotros/nosotras**	avec nous (m/f)
contigo	avec toi	**con vosotros/vosotras**	avec vous (m/f)
con él/ella	avec lui/elle	**con ellos/ellas**	avec eux/elles
con usted	avec vous	**con ustedes**	avec vous

Il existe également une forme réfléchie : **consigo** (avec soi).

● COD : **me, te, se, lo/la, nos, os, los/las**

Antonio tiene un abrigo
Antonio a un manteau

Antonio lo tiene
Antonio l'a

Carmen compra dos pantalones
Carmen achète deux pantalons

Carmen los compra
Carmen les achète

N'oubliez pas qu'en espagnol vous aurez **las** pour le féminin pluriel et **los** pour le masculin pluriel !

● COI : **me, te, se, le, nos, os, les**

Juan da una manzana a María
Juan donne une pomme à María pomme

Juan le da una manzana
Juan lui donne une

Juan da frutas a Sol y a Luz
Juan donne des fruits à Sol et à Luz

Juan les da frutas
Juan leur donne des fruits

Remarquez que ces deux types de compléments sont les mêmes à toutes les personnes sauf aux troisièmes personnes du singulier et du pluriel. Un peu d'entraînement et vous saurez facilement faire la différence entre COD et COI !

Place des pronoms personnels compléments

Qu'ils soient directs ou indirects, les pronoms personnels compléments se placent

● **derrière le verbe,** en se soudant à lui, à l'infinitif, à l'impératif affirmatif et au gérondif (ou participe présent) :

¿Puedes ayudarme?   Peux-tu m'aider ?   (infinitif)

¡Ayúdame!   Aide-moi !   (impératif affirmatif)

Ayudándome   En m'aidant   (gérondif)

(Vous souvenez-vous des règles de l'accent tonique ?)

Encore quelques exemples :

Voy a buscarla   Je vais la chercher

Voy a buscarlo   Je vais le chercher

Voy a buscarlas   Je vais les chercher (f/pl)

● **devant le verbe** dans tous les autres cas :

¡No me ayudes!   Ne m'aide pas !

Luís me ayuda   Luís m'aide
etc.

L'ordre des pronoms personnels

Lorsque le verbe est accompagné de deux pronoms compléments, le COI se place toujours devant le COD :

Te la doy   Je te la donne

Dámela   Donne-la-moi   (littéralement : donne-moi-la)

D'autre part, lorsque deux pronoms de la troisième personne sont employés simultanément, le premier – donc le COI – devient obligatoirement **se** :

se lo   le lui / le leur / vous le (politesse)

se la   la lui / la leur / vous la (politesse)

se los   les lui / les leur / vous les (politesse)

se las   les lui / les leur / vous les (politesse)

Exemple :

Compro dos pantalones para ella. <u>Se los</u> compro.
J'achète deux pantalons pour elle. Je <u>les lui</u> achète.

Verbes et pronoms réfléchis

On reconnaît les verbes réfléchis à leur terminaison en **-se** à l'infinitif : **sentarse** (s'asseoir), **levantarse** (se lever), **llamarse** (s'appeler), **irse** (s'en aller), etc.
Notez que les verbes réfléchis ne sont pas forcément les mêmes en espagnol et en français : **quedarse** (rester).

Quant aux pronoms réfléchis, il ne vous sera pas difficile de les retenir :

me llamo	je m'appelle
te llamas	tu t'appelles
se llama	il/elle s'appelle
nos llamamos	nous nous appelons
os llamáis	vous vous appelez
se llaman	ils/elles s'appellent

Beatriz se lava las manos.
Beatrice se lave les mains.

● **Remarque :** La construction réfléchie **se** + verbe à la troisième personne traduit souvent le "on" français, lorsqu'il s'agit par exemple d'exprimer une généralité, une habitude, une possibilité ou encore une obligation, dont celui qui parle n'est pas nécessairement exclu. Quelques exemples :

Se habla francés.
On parle français.

En verano se come menos.
En été on mange moins.

Se venden pisos.
On vend des appartements / Appartements à vendre.

¿Se puede fumar ?
On peut fumer ?

Les adjectifs possessifs

mi	mon/ma	**mis**	mes
tu	ton/ta	**tus**	tes
su	son/sa/votre (pol.)	**sus**	ses/vos (pol.)
nuestro/-a	notre	**nuestros/-as**	nos
vuestro/-a	votre	**vuestros/-as**	vos
su (pol.)	leur/votre (pol.)	**sus**	leurs/vos

Comme en français, ils se placent devant le nom :

Nuestra amiga.
Notre amie.

Nuestras amigas.
Nos amies.

Su casa.
Sa/leur/votre maison.

Sus casas.
Ses/leurs/vos maisons.

Mi coche.
Ma voiture.

Mis coches.
Mes voitures.

Lorsqu'il peut y avoir ambiguïté, ce qui est souvent le cas à la troisième personne, il convient de préciser :

Mi casa es menos grande que la de usted.
Ma maison est moins grande que la vôtre (pol.).

Mi casa es menos grande que la de ella.
Ma maison est moins grande que la sienne (à elle).

Les démonstratifs

Il y en a trois en espagnol, qui correspondent à trois degrés ou catégories. Voyons-les de plus près.

		masculin	féminin	neutre
singulier	1.	**este**	**esta**	**esto**
	2.	**ese**	**esa**	**eso**
	3.	**aquel**	**aquella**	**aquello**
pluriel	1.	**estos**	**estas**	
	2.	**esos**	**esas**	
	3.	**aquellos**	**aquellas**	

- Les neutres ne fonctionnent que comme pronoms (c'est-à-dire avec des verbes), les autres peuvent aussi avoir la fonction d'adjectif démonstratif (c'est-à-dire qu'ils accompagnent un nom).
- Les pronoms démonstratifs masculins et féminins prennent un accent écrit sur la voyelle tonique (mais pas les neutres).
- Les trois séries de démonstratifs sont en rapport avec les trois personnes grammaticales et les trois adverbes de lieu – **aquí** (ici), **ahí** (là) et **allí** (là-bas).

Este correspond à la première personne, celle **qui parle**.
Ese correspond à la deuxième personne, celle **à qui on s'adresse**.
Aquel correspond à la troisième personne, celle **de qui on parle**.

Este libro (aquí) es mío. Ce livre ici/Ce livre-ci est à moi.	**Éste es mío.** Celui-ci est à moi.
Este libro (ahí) es tuyo. Ce livre-là est à toi.	**Ése es tuyo.** Celui-là est à toi.
Aquel libro (allí) es suyo. Ce livre là-bas est à lui/elle.	**Aquél es suyo.** Celui-là est à lui/elle.

● En rapport avec le temps, **este** désigne ce qui est proche, **ese** ce qui est intermédiaire, et **aquel** ce qui est éloigné :

Este año, los niños no han ido de vacaciones.
Cette année, les enfants ne sont pas allés en vacances.

Ése fue el año en que no se fueron de vacaciones.
C'est l'année où ils ne sont pas partis en vacances.

Aquel año, no se fueron de vacaciones.
Cette année-là, ils ne sont pas partis en vacances.

● Cette règle est la même lorsque les démonstratifs se rapportent à un lieu :

Esta iglesia es muy antigua.
Cette église(-ci) est très ancienne.

Esas casas de los alrededores son nuevas.
Ces maisons des alentours sont neuves.

Francisco dice que aquellas playas del Pacífico son muy hermosas.
Francisco dit que ces plages du Pacifique sont très belles.

La phrase

La structure de la phrase espagnole est très proche de la française. Vous n'aurez en général aucune difficulté à vous exprimer correctement en partant des modèles français.
Rappelons toutefois quelques détails :

L'interrogation

Pour ce qui est des questions simples auxquelles votre interlocuteur pourra répondre par oui ou non, il vous suffira de faire une phrase affirmative ou négative en lui donnant une intonation interrogative à l'oral ou en mettant la ponctuation adéquate (¿…?) à l'écrit :

phrase affirmative	*phrase interrogative*
Te llamas Carlos.	**¿Te llamas Carlos?**
Tu t'appelles Carlos.	(Est-ce que) tu t'appelles Carlos ?

phrase négative	*phrase interrogative*
No se llama Aurelia.	**¿No se llama Aurelia?**
Elle ne s'appelle pas Aurelia.	Elle ne s'appelle pas Aurelia ?

Bien entendu, tout n'est pas aussi simple, et certaines questions appellent des réponses plus sophistiquées…

Voici quelques mots qui vous aideront à formuler des questions :

¿qué?	que, quoi, qu'est-ce que ?	**¿cuándo?**	quand ?
¿quién?	qui ?	**¿dónde?**	où ?
¿cuál?	quel, quelle ?	**¿de dónde?**	d'où ?
¿cómo?	comment ?	**¿adónde?**	(vers) où ? *
¿por qué?	pourquoi ?	**¿cuánto?**	combien ? **
¿cuántos?	combien (de) ?(m/pl)	**¿cuántas?**	combien (de) ? (f/pl)

* **adónde** sous-entend un déplacement "vers quelque part".
****cuánto** est un masculin singulier (équivalent féminin : **cuánta**).

¿Cómo te llamas?
Comment tu t'appelles ?

– Me llamo Roberto.
– Je m'appelle Roberto.

¿Dónde vives?
Où habites-tu ?

– Vivo en Francia.
– J'habite en France.

DÓNDE VIVES?

¿Cuánto tiempo te quedas aquí?
Combien de temps restes-tu ici ?

– Tres semanas. Estoy de vacaciones.
– Trois semaines. Je suis en vacances.

¿Por qué te vas?
Pourquoi est-ce que tu t'en vas ?

– Porque tengo que trabajar.
– Parce que je dois travailler.

¿Cuándo llega el autobús?
Quand est-ce que le bus arrive ?

– Dentro de diez minutos.
– Dans dix minutes.

¿Qué dices?
Qu'est-ce que tu dis ?

– Nada.
– Rien.

¿Adónde vas mañana?
Où vas-tu demain ?

– Voy al museo.
– Je vais au musée.

La négation

No équivaut à la fois à *non* et à *ne… pas*. Dans une phrase négative, **no** précède toujours le verbe.

¿Me acompañas?
Tu m'accompagnes ?

– No.
– Non.

¿No quieres comer?
Tu ne veux pas manger ?

No tengo tiempo.
Je n'ai pas le temps.

● Avec **nada** (rien), **nadie** (personne), **nunca** (jamais) et **tampoco** (non plus), deux solutions sont possibles.

a. Soit on les place après le verbe si celui-ci est précédé de **no** :

No veo nada.
Je ne vois rien.

No viene nunca.
Il/elle ne vient jamais.

No viene nadie.
Personne ne vient.

No viene tampoco.
Il/elle ne vient pas non plus.

b. Soit on les place devant le verbe, sans autre négation :

Nunca viene.   **Nadie viene.**
Il/elle ne vient jamais.   Personne ne vient.

Tampoco viene.
Il/elle ne vient pas non plus.

(Cette tournure est rare avec **nada**, préférez-lui la première.)

Les prépositions

a	à, en…	**entre**	entre
con	avec	**hacia**	vers (lieu)
de	de	**hasta**	jusque, jusqu'à (temps)
desde	depuis	**para**	pour
durante	pendant, durant	**por**	pour, par…
en	dans, sur…	**según**	selon
antes	avant	**sin**	sans
contra	contre	**sobre**	sur

A, **de** et **en** sont les prépositions que vous rencontrerez le plus fréquemment. Voici quelques exemples illustrant divers sens possibles (il y en a énormément – nous ne pourrons donc pas les donner tous).

La préposition a

● **a** est souvent liée à la notion de mouvement ou de direction ; elles suit donc les verbes de mouvement tels que **ir** (aller), **viajar** (voyager), **subir** (monter), **bajar** (descendre), ou encore, **venir** (venir), etc. :

Vamos a España.
Nous allons en Espagne.

● Lorsque **a** précède un nom commun masculin singulier, **a + el**
devient **al** (comme en français, où *à* + *le* devient *au*) :

Vamos al mercado.
Nous allons au marché.

Avec les autres articles, pas de contraction :

Vamos a la playa.
Nous allons à la plage.

● Lorsqu'un infinitif suit le verbe de mouvement, la préposition **a**
précède l'infinitif :

Voy a llevarte al restaurante.
Je vais t'emmener au restaurant.

(Notez que **ir** est toujours suivi de **a**, même lorsqu'il n'y a pas de
réel mouvement : **Vamos a ver** – Nous allons voir.)

● Avec **buscar** (chercher), **a** suit le verbe si le complément d'objet
est une personne :

Busco a Diego.   mais   **Busco mi camisa.**
Je cherche Diego.   Je cherche ma chemise.

La préposition en

● **en** situe le temps :

En la edad media.
Au moyen-âge.

En el futuro.
À l'avenir.

En el año 1887.
En l'an 1887.

● **en** situe dans le lieu :

Viven en Burgos.
Ils vivent à Burgos.

Te esperamos en la calle.
Nous t'attendons dans la rue.

La préposition de

Elle correspond, dans la majorité des cas, au *de* français. Voyons quelques différences d'usage.

● **de** indique la possession :

El coche rojo es de mi hermana.
La voiture rouge est à ma sœur.

¿De quién es este libro?
À qui est ce livre ?

● **de** indique la matière :

Una mesa de madera.
Une table en bois.

● **de + infinitif** correspond au *à + infinitif* français :

¿Hay algo de comer?
Y a-t-il quelque chose à manger ?

Difícil de creer.
Difficile à croire.

● Combinaisons avec **de** :

al lado de	à côté de	**delante de**	devant
a la derecha de	à droite de	**después de**	après
a la izquierda de	à gauche de	**encima de**	sur
antes de	avant	**fuera de**	à l'extérieur
	de		
cerca de	près de	**lejos de**	loin de
debajo de	sous	**enfrente de**	en face de

Attention : Pour indiquer un délai, on emploie **dentro de** :

Dentro de dos semanas.
Dans deux semaines.

¿Cuándo llega el tren? – **Dentro de diez minutos.**

Quand est-ce que le train arrive ? – Dans dix minutes.

Quelques mots de liaison

y	et	**aunque**	bien que, même si
o	ou	**porque**	parce que
pero	mais	**que**	que, qui
sino	sinon	**si**	si
cuando	quand, lorsque	**es decir**	c'est-à-dire

Compter...

0	**cero**	10	**diez**
1	**uno***	11	**once**
2	**dos**	12	**doce**
3	**tres**	13	**trece**
4	**cuatro**	14	**catorce**
5	**cinco**	15	**quince**
6	**seis**	16	**dieciséis**
7	**siete**	17	**diecisiete**
8	**ocho**	18	**dieciocho**
9	**nueve**	19	**diecinueve**

20	**veinte**	30	**treinta**
21	**veintiuno**	40	**cuarenta**
22	**veintidós**	50	**cincuenta**
23	**veintitrés**	60	**sesenta**
24	**veinticuatro**	70	**setenta**
25	**veinticinco**	80	**ochenta**
26	**veintiséis**	90	**noventa**
27	**veintisiete**		

* **uno** devient **un** ou **una** devant un nom commun ; il en va de même pour 21, 31, etc. : **un minuto** (une minute) ; **veintiún minutos** (vingt et une minutes) ; **veintiuna semanas** (vingt et une semaines).

● De 30 à 100, les nombres se composent de la manière suivante : on énonce d'abord la dizaine, on y ajoute **y**, puis on énonce l'unité. Exemple : **Treinta y seis** (trente-six).

100	**cien(to)**	600	**seiscientos/-as**
200	**doscientos/-as**	700	**setecientos/-as**
300	**trescientos/-as**	800	**ochocientos/-as**
400	**cuatrocientos/-as**	900	**novecientos/-as**
500	**quinientos/-as**	1000	**mil**

● Notez que les centaines s'accordent avec le nom auxquelles elles se rapportent :

1987 = **mil novecientos ochenta y siete**
1 987 pesetas = **mil novecientas ochenta y siete pesetas**

● **Ciento** ne s'emploie que pour 100 tout seul ou suivi d'un autre nombre indiquant une dizaine ; dans les autres cas, il devient **cien** :
ciento cuarenta libros (cent quarante livres) mais **cien libros** (cent livres) ;
cien manzanas (cent pommes) ; **cien mil manzanas** (cent mille pommes).

Les nombres ordinaux et les quantités

primero	premier
segundo	second
tercero	troisième
cuarto	quatrième
quinto	cinquième
sexto	sixième
séptimo	septième
octavo	huitième
noveno	neuvième
décimo	dixième
…	…
último	dernier

Comme en français, les ordinaux s'accordent avec le nom auquel ils se rapportent (**primera, segunda,** etc.). Devant un nom masculin, **primero** devient **primer,** et **tercero** devient **tercer** : **el primer piso** (le premier étage) ; **mi tercer marido** (mon troisième mari).

un kilo	un kilo
medio kilo	un demi-kilo
cien gramos	cent grammes
un litro	un litre
una docena	une douzaine
la mitad	la moitié

Remarquez qu'en espagnol, **medio** (un demi) ne prend pas d'article.

La notion de temps

La date

● Les mois de l'année : **enero, febrero, marzo, abril, mayo, junio, julio, agosto, septiembre, octubre, noviembre, diciembre**.

Pour dire la date, on ajoute **de** devant le mois et l'année :

El tres de julio de 1999.
Le trois juillet 1999.

El primero de enero.
Le premier janvier.

● Les jours de la semaine : **lunes, martes, miércoles, jueves, viernes, sábado, domingo**.

● "Nous sommes le..." se dira :

Estamos a 21 de diciembre.
Nous sommes le 21 décembre.

L'heure

● On ne se sert en principe que du système de 12 heures. Pour éviter les malentendus, il convient de préciser :

de la mañana	du matin
de la tarde	de l'après-midi
de la noche	du soir, de la nuit

● Pour demander l'heure :

¿Qué hora es?
Quelle heure est-il ?

¿Qué hora tienes?
Quelle heure as-tu ?

● Pour dire l'heure, on fait précéder le chiffre indiquant l'heure de l'article défini ; le verbe est toujours **ser** :

Es la una

est la une

Il est une heure.

Son las diez.

sont les dix

Il est dix heures.

Notez bien que le verbe s'accorde avec le nombre :

"Ils sont dix heures" !

● Si nécessaire, on ajoute :

y	et
menos	moins
y cuarto	et quart
menos cuarto	moins le quart
y media	et demie
en punto	pile, juste

Quelques exemples :

Son las tres y cuarto.
Il est trois heures et quart.

Son las cinco y media.
Il est cinq heures et demie.

Son las nueve menos cuarto.
Il est neuf heures moins le quart.

Son las once y veinticinco.
Il est onze heures vingt-cinq.

¿A qué hora llega el avión?
À quelle heure l'avion arrive-t-il ?

– A la una en punto.
– À une heure pile.

¿A qué hora llegas?
À quelle heure arrives-tu ?

– A las tres.
– À trois heures.

Au fil des pages qui vont suivre, vous trouverez toutes sortes de tournures et expressions ainsi qu'un grand nombre de phrases toutes faites qui font partie du langage de tous les jours.

Bien entendu, vous n'aurez pas nécessairement besoin de les utiliser vous-même dès le jour de votre arrivée, mais vous les entendrez forcément à un moment ou à un autre et serez alors en mesure de les comprendre.

Nous ne nous en tiendrons pas seulement à une forme figée – au contraire, nous vous donnerons, chaque fois que cela pourra vous être utile, diverses possibilités pour exprimer une même idée.

D'autre part, le bagage linguistique que représente ce petit livre devrait vous apporter tous les éléments nécessaires pour vous permettre de concocter vous-même vos propres phrases et exprimer ce que vous voulez dire. N'hésitez pas à improviser, c'est amusant et souvent très constructif !

Si toutefois il vous semblait que nous ayons oublié un thème important, n'hésitez pas à nous le faire savoir : nous étudierons chacune de vos remarques avec attention et, dans la mesure du possible, en tiendrons compte lors de notre prochaine édition.

Mini-guide du savoir-vivre en Espagne

Si vous ne voulez pas simplement connaître le pays mais aussi, et peut-être surtout, rencontrer des gens qui pourront devenir vos amis (**amigos**), n'oubliez pas que le respect et l'ouverture d'esprit devront guider chacun de vos pas.

● Ne critiquez pas systématiquement les habitudes ou manières d'être qui sont différentes des vôtres ; évitez les comparaisons condescendantes entre votre pays et l'Espagne – nous avons tous une "fierté nationale", les Espagnols aussi ! Acceptez les différences et regardez le bon côté des choses.

- Le tutoiement est très répandu en Espagne. Réservez donc le **usted** aux circonstances formelles, où une distance entre vous et votre interlocuteur s'impose. En revanche, passez rapidement au **tú** dans les conversations amicales ou informelles.

- Les Espagnols ont le contact facile. Jouez le jeu et n'hésitez pas à entamer une petite conversation avec les gens qui vous semblent sympathiques – vous ne serez certainement pas déçu. Attention : évitez les soi-disant "bons conseils" – vous passeriez pour un je-sais-tout qu'on n'a pas envie de mieux connaître !

- Ne refusez pas une proposition de manière catégorique – vous feriez offense à votre interlocuteur. Adoptez plutôt la manière espagnole, qui laisse toujours une porte ouverte, et dites que vous allez réfléchir à la question, que vous allez voir ce que vous pouvez faire, que vous allez faire votre possible, etc. Ainsi vous direz non en douceur et sans vexer personne.

- Les Espagnols s'expriment généralement de manière positive. Ceci pourra parfois vous sembler exagéré ou un tantinet hypocrite. En réalité, lorsque quelqu'un répond par exemple "**muy bien**", il peut simplement vouloir dire qu'il comprend et accepte ce qui est dit, sans pour autant obligatoirement être du même avis.

- Vivez à l'heure espagnole. Les Espagnols n'ont pas pour habitude de tout planifier de manière rigoureuse et à la minute près. De même, si on n'arrive pas tout à fait à l'heure à un rendez-vous, personne ne vous en tient rigueur. Et puis, lorsqu'on sort le soir, on préfère improviser plutôt que de décider d'avance qui ira où, quand et comment.

- En règle générale, fiez-vous davantage à la parole qu'au texte écrit. Si vous le pouvez, faites-vous confirmer des renseignements écrits par quelqu'un qui s'y connaît. Sachez également que, bien que la bureaucratie existe aussi en Espagne, il y a souvent moyen de résoudre ou de contourner un problème en s'expliquant avec les gens.

Comprendre et se faire comprendre

¿Habla usted francés?
Parlez-vous français ?

¿Habla usted español?
Parlez-vous espagnol ?

No, lo siento.
Non, le regrette.
Non, désolé(e).

¿Cómo dice?
Comment vous dites ?
Comment ?

Sólo un poquito.
Seulement un peu.

Entiendo.
Je comprends.

¿Comprende usted?
Est-ce que vous comprenez ?

No entiendo.
Je ne comprends pas.

Más despacio, por favor.
Plus lentement, s'il vous plaît.

¿Puede repetir, por favor?
Pouvez-vous répéter, s'il vous plaît ?

¡MÁS DESPACIO, POR FAVOR!

¿Qué quiere decir "zapato"? **Por favor.**
Que veut dire "zapato" ?   S'il vous plaît / S'il te plaît.
Que signifie "zapato" ?

Gracias.   **Muchas gracias.**
Merci.   Merci beaucoup.

Expressions et tournures

Les salutations

¡Hola!	Salut !
¡Buenas!	Bonjour ! (familier)
Buenos días.	Bonjour. (littéralement "bons jours")
Buenas tardes.	Bon après-midi *ou* bonsoir. (lit. "bons soirs")
Buenas noches.	Bonsoir *ou* bonne nuit. (lit. "bonnes nuits")

Buenos días se dit jusqu'à midi. Ensuite, on passe à **buenas tardes** jusqu'à la tombée de la nuit. Une fois la nuit tombée, **buenas noches** est de rigueur.

Llegas a punto.   Tu arrives à point / au bon moment.

¿Qué haces tú por aquí ?   Qu'est-ce que tu fais par ici ?

Prendre congé

Adiós.	Au revoir.
Buen viaje.	Bon voyage.
Hasta mañana.	À demain.
Hasta más tarde.	À plus tard.
Hasta luego.	À tout à l'heure.
Hasta pronto.	À bientôt.

Hasta la vista.	Au revoir / À la prochaine.
Recuerdos a…	Salutations à… (lit. "souvenirs à…")
Saludos a…	Salutations à…

Tengo que irme.
J'ai que m'en aller.
Je dois m'en aller.

Entonces me voy.
Alors, je m'en vais.

S'excuser

Perdone.
Pardonnez.
Pardon.

Disculpe.
Excusez.
Excusez-moi.

Perdone que le interrumpa.
Excusez-moi de vous interrompre.

Lo siento de veras.
Le regrette de vraies.
Je suis vraiment désolé(e).

No era a propósito.
N'était exprès.
Ça n'était pas intentionnel.

No es culpa mía.
N'est faute mienne.
Ce n'est pas ma faute.

Te lo puedo explicar.
Te le peux expliquer.
c'est…
Je peux te l'expliquer.

Lo que quiero decir es…
Ce que je veux dire,

No es asunto tuyo.
N'est affaire à toi.
Ça ne te regarde pas.

Es decir (que)…
C'est dire (que)…
C'est-à-dire (que)…

61

No es nada.
N'est rien.
Ce n'est rien / Ce n'est pas grave.

No hay de qué.
N'y a de quoi.
Il n'y a pas de quoi.

Está bien.
Est bien.
Ça va / Ça ira.

Comment ça va ?

Comme dans toutes les langues, il existe de nombreuses façons de poser cette question et d'y répondre. Voici les exemples les plus courants.

¿Qué tal?
Comment ça va ?

¿Cómo estás?
Comment vas-tu ?

¿Cómo está usted?
Comment allez-vous ?

¿Cómo le va?
Comment lui va ?
Comment allez-vous ?

Si tout va bien :

Muy bien, gracias.
Très bien, merci.

Bien.
Bien.

Muy bien.
Très bien.

Bastante bien.
Assez bien.

Les réponses mitigées :

Como siempre.
Comme toujours.

Así así / Regular.
Comme ci, comme ça.

Si rien ne va :

Estoy enfermo.
Je suis malade.

Mal.
Mal.

Si ça va déjà mieux :

Mejor.
Mieux.

Mucho mejor.
Beaucoup mieux.

Raconter quelque chose

Oye, me han contado…
Écoute, me ont raconté…
Eh, on m'a dit que…

¿Sabes la última?
Tu sais la dernière ?

¿Sabes que…?
Sais que…?
Tu sais que… ?

Dicen que…
Disent que…
On dit que… / Il paraît que…

Parece que…
Paraît que…
Il paraît que…

Me han dicho que…
Me ont dit que…
On m'a dit que…

Me enteré de que…
Me rendis compte de que…
J'ai appris que…

¿Ya te has enterado de la noticia?
Déjà t'es rendu compte de la nouveauté?
Tu connais la nouvelle ?

Donner son opinion

Yo pienso que…
Je pense que…

En mi opinión…
En mon opinion…
À mon avis…

Mi opinión es que…
Mon opinion est que…
À mon avis…

A mí me parece que…
À moi me paraît que…
Il me semble que…

Tengo la impresión de que…
Ai l'impression de que…
J'ai l'impression que…

Bueno, creo que…
Bon, crois que…
Bon, eh bien je crois que…

Ahora te voy a decir algo…
Maintenant te vais à dire quelque chose…
Maintenant laisse-moi te dire quelque chose…

63

Approuver

Tienes razón.
Tu as raison.

Estoy de acuerdo.
Je suis d'accord.

En efecto.
En effet.

Así es.
C'est cela.

Claro.
Clair.
Bien sûr.

Seguro.
Sûr.
C'est sûr.

Es verdad.
C'est vrai.

Claro que sí.
Bien sûr que oui / si.

Démentir, nier

Es falso.
C'est faux.

No es verdad.
Ça n'est pas vrai.

En absoluto.
Absolument pas.

En ningún caso.
En aucun cas.

Mentiroso / mentirosa.
Menteur / menteuse.

No es así.
Ce n'est pas comme ça.

Está equivocado / equivocada.
Vous vous trompez. (m/f)

No te creo.
Je ne te crois pas.

Convaincre

Me lo puedes creer.
Me le peux croire.
Tu peux me croire.

Pero, escucha.
Mais écoute.

Es evidente que…
Est évident que…
Il est évident que…

No hay duda.
N'y a doute.
Il n'y pas de doute.

Estoy convencido/a de que…
Je suis convaincu/e que…

Que sí.
Que si.
Mais si.

Contredire

¿Lo piensas de verdad?
Le penses de vérité ?
Tu le penses vraiment ?

Estoy en contra.
Je suis contre.

¡Qué tontería!
Quelle bêtise !

Estás loco / loca.
Tu es fou / folle.

¡Qué vergüenza!
Quelle honte !

¡Qué me cuentas!
Que me racontes !
Qu'est-ce que tu (me)
racontes !

No acepto que…
Je n'accepte pas que…

Eso, no te lo creo.
Ça, ne te le crois.
Ça, je ne te le crois pas.

Estás chiflado/a.
Tu es cinglé/e.

Estoy enfadado/a.
Je suis fâché/e.

Attention aux expressions familières : une chose est de les connaître, une autre de les employer soi-même !

Mettre en doute

¿Hablas en serio?
Parles en sérieux ?
Tu parles sérieusement ?

¡Cuéntaselo a otro!
Raconte-le à autre !
Raconte ça à quelqu'un d'autre !

¡No bromees!
Ne blagues !
Ne plaisante pas !

Eso me extrañaría mucho.
Ça m'étonnerait beaucoup.

Lo dudo.
Le doute.
J'en doute.

Me pregunto si…
Je me demande si…

No puedo entenderlo.
Je ne peux pas le comprendre.

Eso no puede ser.
Ça ne peut être.
Ce n'est pas possible.

¿Está usted seguro/a?
Êtes-vous sûr/e ?
En êtes-vous sûr/e ?

¿Estás seguro/a?
Es-tu sûr/e ?
Tu en es sûr/e ?

Montrer de l'enthousiasme

¡Qué bien!
C'est vraiment bien !

Es estupendo.
C'est génial.

¡Súper! *(familier)*
Super !

Être content

Estoy loco/a de alegría.
Je suis fou/folle de joie.

Estoy muy contento/a.
Je suis très content/e.

Estoy encantado/a.
Je suis enchanté/e.

Émettre un souhait

Tengo muchas ganas de…
Ai beaucoup envies de…
J'ai très envie de…

Tengo inmensas ganas de…
Ai immenses envies de…
J'ai une folle envie de…

Sueño con…
Rêve avec…
Je rêve de…

Me gustaría…
Me plairait…
J'aimerais…

Espero que…
J'espère que…

¿Te gustaría…?
Est-ce que tu aimerais… ?

¿Tienes ganas de…?
Est-ce que tu as envie de… ?

¿Te interesaría…?
Ça t'intéresserait de… ?

¿Quieres…?
¿Tu veux… ?

ESTOY LOCO DE ALEGRÍA

Podríamos…
Nous pourrions…

¿Qué piensas si…?
Que penses si… ?
Qu'est-ce que tu dirais de… ?

Ven, te invito.
Viens, je t'invite.

¿Qué haces esta tarde/noche?
Que fais-tu ce soir ?

¿Quieres ir al restaurante?
Tu veux aller au restaurant ?

Te propongo…
Je te propose…

¿Qué te parece si…?
Que te paraît si… ?
Ça te dirait de… ?

¿Nos vamos?
On s'en va ?

¿Puedo acompañarte?
Je peux t'accompagner ?

Accepter une proposition

De acuerdo.
D'accord.

Con mucho gusto.
Avec (grand) plaisir.

¿Por qué no?
Pourquoi pas ?

Naturalmente.
Naturellement.

Eso sería fantástico.
Ce serait fantastique.

Bien.
Bien / bon.

Vale.
D'accord.

Claro que sí.
Bien sûr que oui.

Es una buena idea.
C'est une bonne idée.

Estupendo.
Formidable.

Décliner une offre, regretter

No, gracias.
Non merci.

No tengo ganas.
Je n'ai pas envie.

Eso no me dice nada.
Ça ne me dit rien.

Es imposible.
C'est impossible.

Lo siento mucho.
Je regrette beaucoup.

No te acompaño.
Je ne t'accompagne pas.

No es posible.
Ça n'est pas possible.

No quiero.
Je ne veux pas.

De eso nada.
De ça rien.
Pas question.

Otra vez será.
Ce sera pour une autre
fois.

Ne pas être sûr

No sé qué hacer
Ne sais que faire.
Je ne sais pas quoi faire.

Todavía estoy con la duda.
Encore suis avec le doute.
Je me pose encore la question.

No estoy seguro/a.
Je ne suis pas sûr/e.

Tal vez.
Peut-être.

¿Quién sabe?
Qui sait ?

Estoy desorientado/a.
Je suis désorienté/e.

No sé si puedo.
Je ne sais pas si je peux.

Être étonné

Es increíble.
C'est incroyable.

¿Qué?
Quoi ?

¿Cómo?
Comment ?

¡Qué sorpresa!
Quelle surprise !

Estoy sorprendido/a.
Je suis surpris/e.

No me lo esperaba.
Ne me l'attendais.
Je ne m'attendais pas à ça.

¡Qué horror!
Quelle horreur !

Me quedé con la boca abierta.
Me restai avec la bouche ouverte.
J'en suis resté(e) bouche bée.

¡No es posible!
Ce n'est pas possible !

No puedo creerlo.
Ne peux le croire.
Je n'arrive pas à le croire.

Es extraño.
C'est étrange.

¡Dios mío!
Mon Dieu !

¿Qué pasó / ocurrió / sucedió?
Qu'est-ce qui s'est passé ?

Ne pas se sentir bien

No me siento bien.
Je ne me sens pas bien.

Estoy agotado/a.
Je suis épuisé/e.

No estoy bien.
Ne suis bien.
Je ne me sens pas bien.

Estoy hecho polvo.
Suis fait poudre.
Je suis complètement crevé.

S'ennuyer

Me aburro.
Je m'ennuie.

Es aburrido.
C'est ennuyeux.

Me da igual.
Ça m'est égal.

¿Para qué?
Pour quoi faire ?

No me interesa.
Ça ne m'intéresse pas.

Être déçu

Si lo hubiese sabido…
Si le avais su…
Si j'avais su…

Tuve mala suerte.
J'ai eu mauvaise chance.
J'ai joué de malchance.

¡Qué lástima!
Quel dommage !

Avoir peur

Tengo miedo.
J'ai peur.

Temo lo peor.
Je crains le pire.

Se faire du souci

Estoy preocupado/a.
Je suis préoccupé/e.

Eso me deja frío/a.
Ça me laisse froid/e.

No me importa.
Ne m'importe.
Ça m'est égal.

¿Y qué?
Et alors ?

No valió la pena.
N'a valu la peine.
Ça n'en valait pas la peine.

No se puede hacer nada.
No se peut faire rien
Il n'y a rien à faire.

¡Qué desengaño!
Quelle déception !

¡Qué susto!
Comme j'ai eu peur !

Se me pone la carne de gallina.
Ça me donne la chair de poule.

Estoy nervioso/a.
Je suis nerveux/nerveuse.
Je me sens nerveux/nerveuse.

Estoy intranquilo/a.
Je suis inquiet/e.

Parece preocupado/a.
Il/Elle a l'air soucieux.

¡Ánimo!
Courage !

¡Venga!
Allez-y / Vas-y !

¡Aguanta!
Tiens bon !

¡No está mal!
Pas mal !

¡Te falta poco!
Te manque peu !
Tu y es presque !

¡Vas por buen camino!
Vas par bon chemin !
Tu es sur la bonne voie !

Réconforter, consoler

Podría ser peor.
Ça pourrait être pire.

Todo saldrá bien.
Tout sortira bien.
Tout ira bien.

No hay por qué preocuparse.
N'y a pour quoi se préoccuper.
Il n'y a pas lieu de s'inquiéter.

Se défendre

¡Te estás pasando!
Tu exagères !

¡Ya basta!
Ça suffit !

No te metas donde no te llaman.
Ne te mets où ne t'appellent.
Occupe-toi de tes affaires.

¡Déjame en paz!
Laisse-moi en paix !
Laisse-moi tranquille !

¡Vete!
Va-t'en !

¡Cállate!
Tais-toi !

72

Si estuviera en tu lugar…
Si j'étais à ta place…

Te aconsejo…
Je te conseille…

En tu lugar lo dejaría.
À ta place, je le laisserais.
À ta place, je laisserais tomber.

No te quiero dar consejos, pero…
Je ne veux pas te donner de conseils, mais…

Sería mejor…
Il vaudrait mieux…

No te preocupes.
Ne t'en fais pas.

**¡Consúltalo
con la almohada!**
Consulte-le avec l'oreiller !
La nuit porte conseil !

Voy a quejarme.
Je vais me plaindre.

¡Ahora, exageras!
Maintenant, exagères !
Là tu exagères !

¡Es el colmo!
C'est le comble !

¡Es demasiado!
Trop, c'est trop !

El servicio deja que desear.
Le service laisse à désirer.

Es una vergüenza.
C'est une honte.

¡Se van a enterar!
Se vont à rendre compte !
Ils vont m'entendre !

¡Esto es inaceptable!
C'est inacceptable !

¡Es inadmisible!
C'est inadmissible !

**Eso sobrepasa todos
los límites.**
Ça dépasse les bornes.

¿Le he hecho daño?
Je vous ai fait mal ?

Lo siento de veras, señor.
Je suis vraiment désolé(e),
monsieur.

No le había visto.
Je ne vous avais pas vu(e).

No ha sido nada.
N'a rien été.
Ce n'est rien.

NO HA SIDO NADA

Admettre

Confieso que…
Confesse que…
J'avoue que…

Hay que confesar…
Il faut confesser…
Il faut avouer…

Reconozco que es verdad.
Je reconnais que c'est vrai.

A decir verdad…
À vrai dire…

Pudiera ser.
Pourrait être.
Ça se pourrait bien.

Aunque, bien mirado…
Bien que, bien regardé…
Quoique, à bien y
réfléchir…

Exprimer un sentiment

Quiero mucho a …
J'aime beaucoup… (une personne)

… me gusta.
… me plaît.

Adoro a …
J'adore … (une personne)

Odio a …
Je déteste …

Tengo horror de …
J'ai horreur de …

Eso me conviene.
Ça me convient.

Vale la pena.
Ça vaut la peine.

Pienso que…
Je pense que…

Es divertido.
C'est amusant.

Es aburrido.
C'est ennuyeux.

Es horrible.
C'est horrible.

Está loco/loca.
Il/Elle est fou/folle.

Es tonto/tonta.
Il/Elle est bête.

Es inteligente.
Il/Elle est intelligent/e.

Es gracioso/a.*
Il/Elle est drôle.

Es amable.
Il/Elle est aimable.

Es sensible.
Il/Elle est sensible.

Es detallista.
Il/Elle est attentionnée.

*****gracioso** est un adjectif à multiples facettes qui peut aussi se traduire par "gracieux, spirituel, plaisant…".

Exprimer de la sympathie

Eres simpático/a.
Tu es sympathique.

Eres magnífico/a.
Tu es magnifique / super.

Me gustas.
Tu me plais.

Te quiero.
Je t'aime.

Es una mujer estupenda.
C'est une femme géniale.

Es un hombre estupendo.
C'est un homme génial.

Exprimer de l'antipathie

No aguanto a…
Je ne supporte pas… (qqn)

No lo / la quiero.
Je ne l'aime pas.

Me es antipático/a.
Il/Elle m'est antipathique.

No puedo soportarlo/la.
Je ne peux pas le/la
supporter.

Es aburrido/a.
Il/Elle est ennuyeux/ennuyeuse.

Aimer

Estoy loco/a por él / ella.
Je suis fou/folle de lui / d'elle.

Estoy enamorado/a.
Je suis amoureux/– euse.

Es el flechazo.
C'est le coup de foudre.

Es la gran pasión.
C'est la grande passion.

76

Expressions courantes

¿Se puede?
Se peut ?
Puis-je entrer ?

¡Salud!
Santé !

Pase / Entre, por favor.
Passez / entrez, s'il vous plaît.
Entrez, je vous en prie.

¡Adelante!
Entrez !

SALUD!

Gracias.
Merci.

No, gracias.
Non, merci.

Tenga.
Tenez.

A ver …
Voyons …

Muchas gracias.
Merci beaucoup.

Por favor.
S'il vous / te plaît.

¿Cómo ha dicho?
Comment ?

¡Por fin!
Enfin !

77

¿Qué hay?
Qu'est-ce qu'il y a ?

Imagínate…
Rends-toi compte…

Es decir…
C'est-à-dire…

Y además…
Et en plus…

Por otro lado…
D'un autre côté …

De otra manera…
Ou autrement…

Si es así…
Si c'est comme ça…

En una palabra…
En un mot…

Bueno…
Bon…

¡Oye!
Eh, dis-donc ! / Écoute !

Oiga.
Écoutez.

¡Hombre! / ¡Mujer!
Littéralement "homme /
femme", cette exclamation
sert à donner de l'emphase à
ce qu'on dit, en fonction du
sexe de la personne à
laquelle on s'adresse.

Panneaux et affiches

Abierto	Ouvert
Caballeros	Messieurs
Caja	Caisse
Caliente	Chaud
Cerrado	Fermé
Completo	Complet
Cuidado con el perro	Attention au chien
Empujar	Pousser
Entrada	Entrée
Entrada libre	Entrée libre
Frío	Froid

Libre	Libre
No tocar	Ne pas toucher
Ocupado	Occupé
Peligro de muerte	Danger de mort
Playa	Plage
Prohibido bañarse	Baignade interdite
Prohibido el paso	Passage interdit
Prohibido fumar	Interdit de fumer
Prohibida la entrada	Entrée interdite
Venta	Vente
Salida	Sortie
Se vende	À vendre
Se alquila	À louer
Señoras	Dames
Servicios	Toilettes
Tirar	Tirer / Jeter

Instrucciones diversas

Espere un momento	Attendez un instant
Introduzca la tarjeta	Introduisez votre carte
Teclee su número personal	Composez votre code
Retire su tarjeta	Retirez votre carte
Retire el dinero	Prenez l'argent
Retire el recibo	Prenez le reçu
Espere la señal	Attendez le signal
Lea atentamente las instrucciones	Lisez attentivement le mode d'emploi

Faire connaissance...

Voici un exemple de dialogue :

–Hola. ¿Eres extranjero, verdad?
Salut. Tu es étranger, n'est-ce pas ?

– Sí, soy francés / canadiense / belga / suizo
Oui, je suis Français / Canadien / Belge / Suisse.

– Y ¿de dónde eres?
Et tu viens d'où ?

– Soy de Paris / Montréal / Bruselas / Ginebra.¿Y tú?
Je suis de Paris / Montréal / Bruxelles / Genève. Et toi ?

– Yo soy andaluza, pero vivo en Zaragoza.
Je suis Andalouse, mais j'habite à Saragosse.

– Ah sí, en Aragón …
Ah oui, en Aragon …
?

– María José.

– Trabajo en una tienda.
Je travaille dans une boutique.

– Me llamo Serge, ¿y tú?
Je m'appelle Serge, et toi

– ¿Estudias o trabajas?
Tu fais des études ou
tu travailles ?

**– Yo soy estudiante
de medicina.**
Moi, je suis étudiant
en médecine.

Soyez simple et ouvert. Commencez tout naturellement en vous présentant, ou demandez à votre interlocuteur comment il s'appelle :

– **Me llamo Cécile. Y tú ¿cómo te llamas?**
Je m'appelle Cécile. Et toi, comment tu t'appelles ?

– **Manuel. Y éste es mi amigo Francisco.**
Manuel. Et voici mon ami Francisco.

– **Y ésta es mi amiga Dominique.**
Et voici mon amie Dominique.

– **Mucho gusto.**
Enchanté.

– **El gusto es mío.**
Tout le plaisir est pour moi.

– **Tú eres Laura, ¿verdad?**
Toi, c'est Laura, n'est-ce pas ?

– **No, yo soy Nicole.**
Non, moi c'est Nicole.

– **¿Cuál es tu apellido?**
Quel est ton nom de famille ?

– **Mi apellido es López.**
Mon nom de famille est López.

nombre	prénom
apellido	nom de famille
encantado/a	enchanté/e

À la discothèque

¿Hay una discoteca por aquí cerca?
Est-ce qu'il y a une discothèque par ici ?

Conozco una buena discoteca.
Je connais une bonne discothèque.

¿Quieres bailar?
Tu veux danser ?

Con mucho gusto.
Avec plaisir.

No sé bailar.
Je ne sais pas danser.

No, gracias.
Non, merci.

NO SÉ BAILAR.

¿Vamos a bailar otra vez?
On danse encore une fois ?

Sí, claro.
Oui, bien sûr.

¿Por qué no?
Pourquoi pas ?

Au bar

¿Quieres tomar algo? Te invito.
Tu veux boire quelque chose ? Je t'invite.

¿Tomamos algo más?
On prend autre chose ?

¿Vienes a menudo por aquí?
Tu viens souvent ici ?

¿Estás solo / sola?
Tu es seul / seule ?

Ya está pagado.
C'est payé / réglé.

Fumer

¿Le molesta que fume?
Ça vous dérange si je fume ?

No, en absoluto.
Non, pas du tout.

¿Tiene fuego, por favor?
Vous avez du feu, s'il vous plaît ?

Lo siento mucho, pero no fumo.
Je suis vraiment désolé, mais je ne fume pas.

Le agradecería que esperara un poco,
Je vous serais reconnaissant/e d'attendre un peu,

porque no me encuentro muy bien.
parce que je ne me sens pas très bien.

¿Le importaría abrir un poco la ventanilla?
Est-ce que vous pourriez ouvrir un peu la fenêtre ?

Être invité…

Si vous ne voyagez pas en groupe, il vous arrivera certainement d'être invité à partager un repas. Vous pouvez bien sûr apporter des fleurs, ou encore quelques sucreries ou autres petits cadeaux pour les enfants.

Un repas, même le plus simple, se compose généralement de plusieurs plats. Pour ne pas donner à votre hôte l'impression que vous n'appréciez pas ses talents culinaires, n'hésitez pas à vous laisser resservir : vous ne serez pas du tout considéré comme impoli, bien au contraire, votre hôte le prendra comme un compliment.

Voici quelques éléments de conversation. Vous pourrez par exemple parler de la famille, du travail, etc.

L'âge

¿Qué edad tienes / tiene?
Quel âge as-tu / avez-vous ?

Tengo … años.
J'ai … ans.

A ver si lo adivinas.
À voir si le devines.
Essaie de deviner.

¿Cuántos años me echas / le echas?
Combien ans me mets / lui mets ?
Quel âge tu me donnes / lui donnes ?

Yo te hecharía treinta años / unos treinta.
Je dirais que tu as trente ans / la trentaine.

Casi …
Presque...

Más o menos …
Plus ou moins…

Pareces / Parece más joven.
Tu as / Il ou elle a l'air plus jeune.

CUÁNTOS ANOS ME ECHAS?

La famille

¿Cuántos hermanos tienes tú?
Combien de frères et sœurs as-tu ? (**hermanos** = "frères" ou "frères et sœurs")

Tengo sólo un hermano.
J'ai seulement un frère.

Se llama Emilio.
Il s'appelle Emilio.

¡Ah sí! Ahora me acuerdo. Es él que vive en Sevilla.
Ah oui ! Maintenant je me souviens. C'est celui qui vit à Séville.

¿Estás casado/a?
Tu es marié/e ?

¿Tienes hijos?
Tu as des enfants ? (**hijos** = "fils" ou "enfants")

Tengo una hija.
J'ai une fille.

85

No estoy casado/a.　　　**¿Y tú?**
Je ne suis pas marié/e.　　　Et toi ?

Tampoco.　　　**Y tú ¿Vives solo/a o con tus padres?**
Moi non plus.　　　Et toi, tu vis seul/e ou avec tes parents ?

Vivo solo/a pero nos vemos con frequencia.
Je vis seul/e mais nous nous voyons souvent.

Si quieres venir mañana a casa, te los presentaré. Vienen a comer.
Si veux venir demain à maison, te les présenterai. Viennent à manger.
Si tu veux venir à la maison demain, je te les présenterai. Ils viennent manger.

hermano / hermana	frère / sœur
padre / madre	père / mère
sobrino / sobrina	neveu / nièce
tío / tía	oncle / tante
primo / prima	cousin / cousine
hijo / hija	fils / fille
abuelo / abuela	grand-père / grand-mère
nieto / nieta	petit-fils / petite-fille
cuñado / cuñada	beau-frère / belle-sœur
marido / esposa	mari / femme
casado / casada	marié / mariée
soltero / soltera	célibataire

Autour du travail

¿Cuál es tu profesión?
Quelle est ta profession / Quel est ton métier ?

¿Qué estudias?　　　**Todavía voy al colegio.**
Que étudies ?　　　Encore vais à l'école.
Qu'est-ce que tu fais comme études ?　　Je vais encore à l'école.

¿A qué te dedicas?
À quoi te dédies ?
Que fais-tu ?

Soy …
Je suis …

obrero / obrera	ouvrier / ouvrière
empleado / empleada	employé / employée
pensionado	retraité / retraitée
ama de casa	femme au foyer
estudiante	étudiant (e)
ingeniero / ingeniera	ingénieur (m / f)
profesor / profesora	professeur (m / f)
secretario / secretaria	secrétaire (m / f)
commerciante	commerçant (e)
médico	médecin
enfermero / enfermera	infirmier / infirmière
mecánico / mecánica	mécanicien / mécanicienne
peluquero / peluquera	coiffeur / coiffeuse
abogado / abogada	avocat / avocate
farmacéutico / farmacéutica	pharmacien / pharmacienne

Par le passé, de nombreux noms de métiers n'existaient qu'au masculin. Fort heureusement, dans la mesure où toutes les professions sont maintenant théoriquement accessibles aux femmes, la tendance est à les mettre au féminin en -a.

Faire des achats

¿Qué desea?
Que désirez-vous ?

¿Tiene usted…?
Avez-vous… ?

¿Cuánto cuesta?
Combien ça coûte ?

suite.

¿Le atienden?
On s'occupe de vous ?

Sí señor, aquí está.
Oui monsieur, voici.

Ahora se lo digo.
Maintenant se le dis.
Je vous dis ça tout de

Necesito comprar un traje de verano.
Je voudrais acheter un costume d'été.

¿De qué color lo desea?
De quelle couleur le désirez-vous ?

Me gustaría un color claro.
J'aimerais une couleur claire.

Esto me gusta / no me gusta.
Ça me plaît / ne me plaît pas.

Su talla es la 40, ¿verdad?
Sa taille est la 40, vérité ?
Vous faites du 40, n'est-ce pas ?

No, creo que es la 42.
Non, crois que est la 42.
Non, du 42, je crois.

¿Qué precio tiene?
Quel est son prix ?

88

Es demasiado…   C'est trop…

caro	cher
pequeño	petit
grande	grand
ancho	large
corto	court
largo	long
oscuro	sombre
claro	clair

Liste d'emplettes

pila	pile
bombilla	ampoule
sello	timbre
sobre (m)	enveloppe
postal (f)	carte postale
libro	livre
periódico	journal
revista	revue, magazine
carrete de diapositivas	pellicule pour diapos
carrete	pellicule photo
abrelatas (m)	ouvre-boîte
sacacorchos	tire-bouchon
encendedor	briquet
cerillas (f/pl)	allumettes
cenicero	cendrier
cinturón	ceinture, ceinturon
vaqueros	jeans

peine	peigne
papel higiénico	papier toilettes
pañales (m/pl)	couches
esparadrapo	pansement
cepillo de dientes	brosse à dents
pasta de dientes	dentifrice
champú	shampoing
jabón	savon
crema bronceadora	crème à bronzer
aceite bronceador (m)	huile bronzante

disco	disque
compact disc	compact disc
cinta	cassette
pulsera	bracelet
anillo	bague
reloj (m)	montre
mapa de la ciudad (m)	plan de la ville

Faire la queue

Lo siento, pero ahora me toca a mí.
Le sens, mais maintenant me touche à moi.
Je suis désolé(e), mais maintenant c'est mon tour.

Llevo media hora esperando.
Porte demie heure espérant.
Ça fait une demi-heure que j'attends.

Ah perdone, pensaba que era mi turno / que me tocaba a mí.
Ah pardon, je pensais que c'était mon tour.

LO SIENTO, PERO AHORA ME TOCA A MÍ

Au marché

Si vous en avez l'occasion, ne manquez pas de faire un tour dans un de ces marchés hauts en couleur qui font partie intégrante de la vie espagnole. Sachez qu'on n'y marchande pas, mis à part au marché aux puces, "el Rastro".

Et voici un exemple de conversation …

– **Buenas.**
Bonjour.

– **Buenas. ¿Cómo está?**
Bonjour. Comment allez-vous ?

– **Bien, como siempre.**
Bien, comme toujours.

- **¿Qué le pongo?**
  Qu'est-ce que je vous mets ?

- **¿A cuánto está el kilo de manzanas?**
  À combien est le kilo de pommes ?
  Le kilo de pommes est à combien ?

- **A dos euros.**
  À deux euros.

- **¿A cómo están las patatas?**
  À comment sont les pommes de terre ?
  Les pommes de terre sont à combien ?

- **A uno cincuenta el kilo.**
  À un cinquante le kilo.

- **Bueno, póngame dos kilos de cada.**
  Bon, mettez-moi deux kilos de chaque.

- **¿Nada más?**
  Rien plus ?
  Rien d'autre ?

- **No, gracias.**
  Non, merci.

- **Entonces son tres (euros) cincuenta.**
  Alors ça fait trois (euros) cinquante.

- **Es usted muy amable.**
  Vous êtes très aimable.

- **¡Aquí tiene!**
  Ici avez !
  Voici !

- **Adiós.**
  Au revoir.

- **Y... estas son las vueltas.**
  Et... ça c'est votre monnaie.

Boire et manger

L'alimentation

Voici une liste (non exhaustive) de quelques aliments courants.

aubergine	**berenjena**
banane	**plátano**
beurre	**mantequilla**
biscuit	**galleta**
café	**café**
chocolat	**chocolate**
citron	**limón**
concombre	**pepino**
fraise	**fresa**
fromage	**queso**
gâteau	**pastel**
glace	**helado**
jambon	**jamón**
lait	**leche**
laitue	**lechuga**
œuf	**huevo**
olive	**aceituna**
orange	**naranja**
pain	**pan**
pomme	**manzana**
poulet	**pollo**
raisin	**uva**
sandwich	**bocadillo**
sucre	**azúcar**
thé	**té**
tomate	**tomate**

Pour boire, manger et pour dormir, les choix sont multiples. Nous vous proposons ci-après une liste des diverses possibilités qui s'offrent à vous. Les explications correspondent à la description générique de chaque dénomination, mais – comme partout ailleurs – tout dépend en fait du restaurateur plus que du nom lui-même.

Albergue de carretera
Au bord des routes principales. On peut y manger et y dormir.

Bar
Café où l'on peut prendre le petit déjeuner, manger un casse-croûte, boire un café, un coca, etc.

Bodega
Bar à vin où l'on peut parfois aussi manger.

Café / Cafetería
Comme son nom l'indique.

Comidas
Pour un repas simple.

Confitería / Pastelería
Pâtisserie. Dans les grandes villes principalement, on y trouve parfois un petit coin aménagé en **salón de té**.

Fonda
On peut y manger et y dormir. Ces établissements sont généralement plus simples que les hôtels, et plus anciens. La plupart du temps, ils sont gérés en famille.

Horchatería

On les trouve surtout dans les régions méditerranéennes et principalement en été. N'hésitez pas à goûter la merveilleuse **horchata**, jus de souchet fraîchement pressé qui désaltérera la soif la plus tenace !

Hostal

Dénomination des anciens relais. Les **hostales**, que l'on trouve principalement à la campagne, correspondent aux **hoteles** des villes.

Hotel

Ils sont classés de une à cinq étoiles. Sur place, vous n'aurez aucune difficulté à les trouver répertoriés dans des petites brochures.

Pensión / Casa de huéspedes

Pension de famille.

Mesón

Débit de boissons où l'on mange des tapas, ou encore lieu de restauration au décor rustique.

Posada

Cette dénomination est relativement ancienne. Il s'agit d'établissements que l'on trouve plutôt à la campagne et où logent des gens de passage.

Parador

Les **paradores** sont des établissements hôteliers qui dépendent d'un organisme officiel. Souvent situés dans des sites exceptionnels, il s'agit la plupart du temps d'anciens palais, couvents, monastères… superbement rénovés et aménagés. Les prix varient en fonction de la catégorie de l'établissement, mais ils ne sont pas plus élevés que ceux des hôtels. De plus, le service y est toujours impeccable. Bref, un arrêt dans un parador mérite, selon nous, tous les détours. Renseignez-vous auprès des offices du tourisme.

Refugio de montaña
Comme son nom l'indique, c'est un refuge de montagne.

Taberna
Bistrot, pour déguster des tapas et boire un pot dans une ambiance souvent conviviale.

Tasca
Troquet – également pour les tapas, et parfois quelques plats régionaux.

Venta
Restaurant souvent décoré à l'ancienne.

Les spécialités

– **Tapas / Pinchos / Banderillas**

Il s'agit en fait de toutes sortes de petites (et bonnes) choses à manger soit pour accompagner l'apéritif, soit pour calmer une petite faim.

Olives, salades, charcuteries diverses, fromages, gambas, etc. – les variantes sont pour ainsi dire infinies.

Le plus simple est d'aller faire un tour au comptoir du café / bar / taverne, etc. pour regarder et faire son choix.

N'hésitez pas ! Ensuite, vous les dégusterez debout ou assis, comme il vous plaira.

Si "**una tapa**" vous semble un peu juste, demandez "**una ración**" de ce qui vous fait envie : on vous apportera une portion plus conséquente de la tapa choisie.

Notez que **pincho** et **banderilla** désignent plus précisément les tapas dans lesquelles on pique (souvent avec un cure-dents) pour se servir.

– **Churros**

Le **churro** est une sorte de beignet en forme de bâtonnet que l'on saupoudre de sucre après l'avoir retiré de l'huile bouillante. On le mange surtout au petit déjeuner, accompagné d'un bon chocolat chaud ou d'un café au lait, mais aussi dans les kermesses et les fêtes de rue. Ne quittez pas l'Espagne sans y avoir goûté !

– **Mosto**

Jus de raisin avant fermentation. Les Espagnols, petits et grands, sont très friands de cette boisson qu'ils boivent souvent en guise d'apéritif, avec ou sans glaçon, agrémentée d'un soupçon de jus de citron et d'une griotte. À consommer sans modération, puisqu' il n'y a pas d'alcool dedans.

– **Paella**

Qui ne connaît pas ce plat de renommée internationale ? À base de riz safrané, ses variantes sont nombreuses. La plus connue est la **paella valenciana** qui est aussi la "version originale" de ce plat dans lequel on trouve divers légumes, viandes ou poissons et fruits de mer ou coquillages.

– **Cocido**

C'est un peu l'équivalent du pot-au-feu français. Ce plat savoureux et consistant est originaire du Nord de l'Espagne. Composé de pois chiches, lentilles ou haricots avec de la viande et des légumes divers (principalement du chou), ses déclinaisons sont également nombreuses.

Passer la commande

¿Puedo ver la carta?
Je peux voir la carte ?

¿Tiene usted …?
Avez-vous … ?

¿Qué quieren / desean / toman?
Que voulez / désirez / prenez-vous ?

Tomaré …
Je vais prendre …

Tomaremos …
Nous allons prendre …

Quisiera …
Je voudrais…

Quisiéramos …
Nous voudrions …

Póngame …
Mettez-moi …
Donnez-moi…

Pónganos …
Mettez-nous …
Donnez-nous …

¿A qué hora cierran?
À quelle heure fermez-vous ?

¿A qué hora empiezan a servir las cenas?
À quelle heure commencez-vous à servir le dîner ?
À partir de quelle heure servez-vous le dîner ?

Podría traerme / traernos …
Pourriez-vous m'apporter / nous apporter…

Quisiera una mesa para dos / tres / cuatro / cinco / seis …
Je voudrais une table pour deux / trois / quatre / cinq / six …

patatas fritas	des frites
un filete	un steak
un helado	une glace
un pollo asado	un poulet rôti
una naranjada	une boisson à l'orange
una sopa de tomate	une soupe de tomates
unos pasteles	quelques gâteaux

A QUÉ HORA EMPIEZAN A SERVIR LAS CENAS?

Me falta …
Me manque …
J'aurais besoin de …

el cuchillo	le couteau
el tenedor	la fourchette
el plato	l'assiette
el vaso	le verre
la cuchara	la cuiller
la servilleta	la serviette

Pásame … por favor.
Passe-moi… s'il te plaît.

¿Quieres …?
Est-ce que tu veux… ?

el azúcar	le sucre
el pan	le pain
el queso	le fromage
la ensalada	la salade
la leche	le lait
la mantequilla	le beurre
la pimienta	le poivre
la sal	le sel

¿Te gusta …?
Est-ce que tu aimes… / … te plaît ?

esta cena	ce dîner
esta comida	cette nourriture, ce repas, ce déjeuner
este almuerzo	ce déjeuner
este desayuno	ce petit déjeuner
este plato	ce plat
este restaurante	ce restaurant

Me gustan mucho …
J'aime beaucoup…

estas ensaladas	ces salades
estas frutas	ces fruits
estas sopas	ces soupes
estos bocadillos	ces sandwiches
estas legumbres	ces légumes (f)
estos postres	ces desserts

Este … está delicioso.
Ce… est délicieux.

filete	steak
cordero	agneau
arroz	riz

Esta … está deliciosa.
Cette… est délicieuse.

ensalada	salade
sopa	soupe
fruta	fruits

Au café

una taza de …	une tasse de…
una botella de …	une bouteille de…
un bocadillo de queso	un sandwich au fromage
un bocadillo de jamón	un sandwich au jambon
un bocadillo de atún	un sandwich au thon
un helado de fresa	une glace à la fraise
un helado de chocolate	une glace au chocolat
un helado de vainilla	une glace à la vanille
un zumo de naranja	un jus d'orange
un zumo de naranja natural	une orange pressée
un zumo de manzana	un jus de pomme
una cerveza	une bière
una coca cola	un coca-cola
una sidra	un cidre
un té	un thé
un chocolate	un chocolat
un café (solo)	un café (noir)
un café cortado	un café noisette

un café con leche	un café au lait
un batido	un milkshake
una botella de :	une bouteille de :
– agua mineral con gas	– eau gazeuse
– agua mineral sin gas	– eau plate
una tónica	un tonic
vodka	vodka
ginebra	gin
whisky	whisky

L'addition

¿Qué le debo? / ¿Me cobra?	**¿Cuánto es?**
Je vous dois ?	Ça fait combien ?
La cuenta, por favor.	**¿Todo junto?**
L'addition, s'il vous plaît.	Tout ensemble ?

LA CUENTA, POR FAVOR.

Quédese con la vuelta.
Gardez la monnaie.

IVA (Impuesto sobre el Valor Añadido)
TVA

Réclamer

Esto no lo he pedido.
Je n'ai pas commandé ça.

¿Puede cambiarme esto?
Vous pouvez me changer ça ?

Está demasiado dulce / salado / amargo.
C'est trop sucré / salé / amer.

Les toilettes et l'hygiène

¿Hay un servicio por aquí?
Y a-t-il des toilettes par ici ?

¿Dónde están los servicios / aseos?
Où sont les toilettes ?

¿Puede darme papel higiénico?
Pourriez-vous me donner du papier toilette ?

Falta jabón y una toalla.
Il manque du savon et une serviette.

caballeros	messieurs
señoras	dames
ocupado	occupé
libre	libre

En ville

Puede decirme ¿dónde está la universidad?
Pouvez-vous me dire où se trouve l'université ?

Oiga por favor, ¿hay un banco por aquí cerca?
Écoutez s'il vous plaît, y a-t-il une banque près d'ici ?

Perdone, ¿para ir a la estación?
Excusez-moi, pour aller à la gare ?

¿Hay por aquí cerca una oficina de correos?
Est-ce qu'il y a un bureau de poste près d'ici ?

primero	d'abord
después	après
luego	ensuite
al final	pour finir

la primera calle	la première rue
la segunda calle	la deuxième rue
la tercera calle	la troisième rue
la última calle	la dernière rue

coja	prenez	**coge**	prends
tome	prenez	**toma**	prends
gire	tournez	**gira**	tourne
siga	continuez	**sigue**	continue
cruce	traversez	**cruza**	traverse
vaya	allez	**ve**	va

está …	il / elle se trouve… / c'est…
a la derecha	à droite
a la izquierda	à gauche
todo recto	tout droit
aquí/ahí/allí	ici / là / là-bas
al lado de …	à côté de…
cerca	près
lejos	loin
al fondo	au fond
al final de …	au bout de…
avenida	avenue
ayuntamiento	mairie
barrio	quartier
calle	rue
camino	chemin
carnicería	boucherie
carretera	route
centro	centre
ciudad	ville
colegio	école
embajada	ambassade
farmacia	pharmacie
iglesia	église
jardín botánico	jardin botanique
lavandería	laverie
librería	librairie
mercado	marché
panadería	boulangerie
papelería	papeterie
plaza	place
pueblo	village
tienda	boutique
zapatería	marchand (boutique) de chaussures

La poste / la banque

¿Dónde puedo comprar sellos?
Où est-ce que je peux acheter des timbres ?

En el estanco.
Au tabac.

Para los sellos, diríjase a la ventanilla número ocho.
Pour les timbres, adressez-vous au guichet numéro huit.

¿Dónde puedo llamar por teléfono, por favor?
Où est-ce que je peux téléphoner, s'il vous plaît ?

el sello	le timbre
el sobre	l'enveloppe
el franqueo	l'affranchissement
el buzón	la boîte aux lettres
la recogida	la levée
una carta certificada	une lettre recommandée
la ventanilla	le guichet

Chercher une chambre

¿Hay …?	Est-ce qu'il y a… ?
¿Tiene usted …?	Avez-vous… ?
Quisiera …	Je voudrais…
Quisieramos …	Nous voudrions…
una habitación	une chambre
dos habitaciones	deux chambres

con baño	avec bain
con ducha	avec douche
con dos camas	avec deux lits
con televisión	avec télévision
una cama de matrimonio	un grand lit
una cama supletoria	un lit supplémentaire
temporada baja / alta	basse / haute saison
fuera de temporada	hors saison
el precio de la habitación	le prix de la chambre
media pensión	demi-pension
pensión completa	pension complète
con suplemento	avec supplément
sólo una noche	une nuit seulement
para unos días	pour quelques jours
para una semana	pour une semaine

No sé hasta cuándo me voy a quedar.
Je ne sais pas jusqu'à quand je vais rester.

¿Puedo ver la habitación?
Je peux voir la chambre ?

No me gusta.
Elle ne me plaît pas.

Es demasiado caro.
C'est trop cher.

Está muy bien. Vamos a subir las maletas.
C'est très bien. Nous allons monter les valises.

À la campagne et à la mer

afluente	affluent	**duna**	dune
árbol	arbre	**meseta**	plateau
arena	sable	**montaña**	montagne
arroyo	ruisseau	**norte**	nord
bosque	bois, forêt	**oeste**	ouest
cabaña	cabane	**ola**	vague
caminar	marcher	**pineda**	pinède
campo	campagne, champ	**playa**	plage
catarata	chute d'eau	**punta**	pointe
costa	côte	**río**	rivière, fleuve
cueva	grotte	**sierra**	chaîne de montagnes
este	est	**sombra**	ombre
flor (f)	fleur	**subir**	monter
hacienda	ferme	**sur**	sud
isla	île	**vacaciones**	vacances
lago	lac	**valle**	vallée
mar	mer		

Le temps qu'il fait

Hace calor.
Il fait chaud.

Hace frío.
Il fait froid.

Hace mal tiempo.
Il fait mauvais.

Hace buen tiempo.
Il fait beau.

Hace aire.
Il y a du vent (air).

Hace sol.
Il y a du soleil.

Hace viento.
Il y a du vent.

Llueve mucho.
Il pleut beaucoup.

Llueve a cántaros.
Il pleut à verses.

Hace un frío que pela.
(familier)
Fait un froid qui pèle.
Il fait un froid de canard.

Un sol de justicia.
Un soleil de plomb.

Hay nieve en la montaña.
Il y a de la neige en montagne.

el parte meteorológico	le bulletin météorologique
los pronósticos	les prévisions
el termómetro	le thermomètre
temperaturas bajo cero	températures en dessous de zéro

Les transports

Les bus qui vont de ville en ville s'arrêtent généralement à la gare routière. Les billets s'achètent non pas dans le bus même mais au guichet.

Quiero un billete para Barcelona.
Je voudrais un billet pour Barcelone.

¿Para cuándo?	**¿A qué hora?**	**¿Qué clase?**
Pour quand ?	À quelle heure ?	En quelle classe ?

El próximo autobús.
Le prochain autobus.

Para las ocho de la tarde.
Pour huit heures du soir.

Un billete de ida y vuelta a Madrid, por favor.
Un billet aller-retour pour Madrid, s'il vous plaît.

¿Cuánto cuesta el viaje a Toledo?
Combien coûte le voyage à Tolède ?

¿Dónde tengo que cambiar de tren?
Où dois-je changer de train ?

¿Dónde puedo comprar los billetes?
Où puis-je acheter les billets ?

¿Hay que sacar un suplemento para este tren?
Est-ce qu'il faut payer un supplément pour ce train ?

¿Dónde hay una ventanilla?
Où y a-t-il un guichet ?

andén	quai de gare	**maleta**	valise
aeropuerto	aéroport	**moto**	moto
asiento	siège, place assise	**ocupado**	occupé
avión	avion	**parada**	arrêt, station
barco	bateau	**peaje**	péage
bicicleta	bicyclette	**precio**	prix
billete	billet	**primera**	première
coche	voiture	**salida**	départ
equipaje	bagages	**segunda**	seconde, deuxième
esperar	attendre	**sólo ida**	aller simple
estación	gare	**tren**	train
ida y vuelta	aller-retour	**ventana**	fenêtre
libre	libre	**ventanilla**	guichet
llegada	arrivée	**viaje**	voyage
lleno	plein	**muelle**	quai (port)

A.V.E. (Alta Velocidad Española) = TGV

En voiture

aceite	huile
acelerador	accélérateur
agua	eau
amortiguador	amortisseur
arcén	bande d'arrêt d'urgence
batería	batterie

bomba de gasolina	pompe à essence
bujía	bougie
cable	câble
carburador	carburateur
cinturón de seguridad	ceinture de sécurité
correa	courroie
destornillador	tournevis
embrague	embrayage
filtro de aire	filtre à air
filtro	filtre
freno	frein
fusible	fusible
gasóleo / gasoil	diesel
gasolina	essence
gato	cric
intermitente (m)	clignotant
luces	lumières, feux
maletero	coffre
marcha	vitesse
multa	amende
neumático	pneu
nivel del aceite	niveau d'huile
parte amistoso	constat à l'amiable
radiador	radiateur
repuesto	pièce de rechange
rueda	roue
tubo de escape	tuyau d'échappement
válvula	soupape
volante	volant

En panne

Por favor, llame a la policía. He tenido un accidente.
S'il vous plaît, appelez la police. J'ai eu un accident.

¿Puede ayudarme?
Pouvez-vous m'aider ?

¿Puede remolcarme?
Pouvez-vous me remorquer ?
Pienso que el / la … no funciona bien.
Je pense que le / la… ne marche pas bien.

¿Puede arreglar el / la …?
Pouvez-vous réparer le / la… ?

¿Cuánto me va a costar?
Combien ça va me coûter ?

CUÁNTO ME VA A COSTAR?

Sabe usted ¿dónde hay una gasolinera?
Savez-vous où il y a une pompe à essence ?

¿Hay un garaje por aquí cerca?
Est-ce qu'il y a un garage près d'ici ?

Attention : ne confondez pas **gasóleo / gasoil** (diesel) avec **gasolina** (essence) !

Les panneaux de signalisation

Ce sont en gros les mêmes que dans les autres pays d'Europe, mais vous rencontrerez également les cas suivants :

Aduana	douane
Atasco	embouteillage
Autopista	autoroute
Badén	cassis, dos d'âne
Calzada deteriorada	chaussée déformée
Carril	voie
Carretera comarcal	route départementale
Carretera nacional	route nationale
Ceda el paso	cédez le passage
Curva peligrosa	virage dangereux
Desviación / Desvío	déviation
Dirección prohibida	sens interdit
Estacionamiento prohibido	stationnement interdit
Obras	travaux
Paso a nivel	passage à niveau
Paso estrecho	passage étroit
Paso de peatones	passage piéton
Peaje	péage
Peligro	danger
Prohibido el paso	passage interdit
Prohibido adelantar	interdit de doubler

Notez également :
Mapa de carreteras   carte routière

Sous les panneaux interdisant le stationnement, vous trouverez parfois des nombres. Ils se réfèrent à la date : "1 - 15" signifie qu'il est interdit de se garer de ce côté de la rue du premier au 15 du mois. De l'autre côté, vous trouverez logiquement "16 - 31".

Être malade…

Il n'est bien entendu pas souhaitable de tomber malade, encore moins à l'étranger. Si toutefois cela vous arrivait en Espagne, alors :

¿Dónde hay una farmacia / un médico / un hospital?
Où y a-t-il une pharmacie / un médecin / un hôpital ?

¿Habla usted francés?
Parlez-vous français ?

Me ha picado una avispa / un mosquito / una abeja.
Je me suis fait piquer par une guêpe / un moustique / une abeille.

Me ha mordido una serpiente / un perro.
Je me suis fait mordre par un serpent / un chien.

Necesito algo contra …
J'ai besoin de quelque chose contre…

los dolores	la douleur
los dolores de cabeza	les maux de tête
las náuseas	les nausées
la tos	la toux
la fiebre	la fièvre
quemaduras del sol	les coups de soleil
picaduras	les piqûres d'insectes

114

Me duele aquí.
J'ai mal ici.

Me duelen los ojos.
J'ai mal aux yeux.

Me siento mareado.
J'ai la tête qui tourne.

Tengo dolores de estómago / cabeza / espalda.
J'ai des maux de ventre / tête / mal au dos.

Me he cortado el dedo.
Je me suis coupé le doigt.

Me he quemado.
Je me suis brûlé.

Necesito la factura para el seguro.
J'ai besoin de la facture pour l'assurance.

Tengo dolor de muelas.
J'ai mal aux dents.

Por favor, póngame una inyección.
S'il vous plaît, faites-moi une piqûre.

¿Tiene que sacarme la muela / el diente?
Devez-vous m'arracher la dent ?

Enjuáguese la boca.
Rincez-vous la bouche.

anestesia	anesthésie
dentista	dentiste
médico	médecin
médico de turno	médecin de service
ginecólogo	gynécologue
dermatólogo	dermatologue
cirujano	chirurgien
oculista	ophtalmologue
otorrinolaringólogo	oto-rhino…
receta	ordonnance
comprimido	comprimé
gotas	gouttes
supositorio	suppositoire
farmacia	pharmacie
hospital	hôpital
accidente	accident
inyección	piqûre

L'espagnol de poche

vous a donné envie d'aller plus loin ?

vous propose sa méthode

Le Nouvel espagnol sans peine

Elle vous permettra d'acquérir
le niveau de la conversation courante
dans un espagnol vivant et actuel
grâce à son principe unique,

l'assimilation intuitive®

Découvrez ce principe à la page suivante.

L'ASSIMILATION INTUITIVE®

Comment avez-vous appris à parler ? En fait, vous ne le savez pas vous-même. Vous avez écouté, compris progressivement vos parents, et peu à peu, après avoir assimilé la signification des sons, puis des mots, puis des associations de mots, vous vous êtes lancé et avez commencé à émettre des sons, des mots, des phrases.

C'est ce processus évident qu'**ASSIMIL** applique en l'adaptant, bien sûr, à l'intelligence de l'adolescent ou de l'adulte.

Dans un premier temps, nous vous familiariserons directement avec la langue étudiée. Cette immersion est quotidienne et demande environ 30 minutes d'attention. À partir de la moitié du livre, vous serez dans la situation de l'enfant qui a accumulé assez de vocabulaire et d'automatismes pour s'exprimer ; comme lui, vous commencerez à concevoir et à former des phrases en reprenant de façon active le début du cours.

Et, à votre émerveillement, cela sera évident, facile ! Vous aurez alors assimilé et vous commencerez à penser spontanément dans la langue étudiée.

Vous continuerez alors cette phase active jusqu'à la dernière leçon. Ainsi un livre de 100 leçons sera assimilé en cinq mois environ pour les langues les plus courantes. Le résultat sera une langue bien apprise que vous pourrez utiliser et développer sans efforts ni hésitations.

LA MÉTHODE ASSIMIL®

Nos 44 langues sont disponibles chez votre libraire

Allemand ● Alsacien
Américain ● Anglais
Arabe ● Arménien ● Basque
Brésilien ● Breton ● Bulgare
Catalan ● Chinois ● Coréen ● Corse
Créole ● Danois ● Espagnol ● Espéranto ● Finnois
Français ● Grec ● Hébreu ● Hindi ● Hongrois
Indonésien ● Italien ● Japonais ● Latin
Néerlandais ● Norvégien ● Occitan ● Persan
Polonais ● Portugais ● Roumain ● Russe
Serbo-croate ● Suédois ● Swahili
Tamoul ● Tchèque ● Thaï ● Turc
Vietnamien

Tous ces cours sont accompagnés d'enregistrements sur cassettes
ou sur CD audio. Dans certaines langues,
des cours de perfectionnement sont également disponibles.

Renseignez-vous auprès de votre libraire.

APPENDICE

Lexique espagnol-français

Le genre est précisé dans les cas où il est différent du français.
f = féminin, m = masculin, pl. = toujours au pluriel.

A

a	à
a la derecha	à droite
a la izquierda	à gauche
a menudo	souvent
a tiempo	à temps
a veces	parfois
a ver si	voyons si
abrigo	manteau
abrir	ouvrir
aburrido	ennuyeux
acabar de	venir de
accidente	accident
aceite	huile
acordarse	se rappeler
adelante	en avant
además	en plus
adiós	au revoir
adónde	vers où
aduana	douane
aeropuerto	aéroport
afectuoso	affectueux
afeitarse	se raser
agradable	agréable
agricultura	agriculture
agua, ("el" mais fém.)	eau
ahí	là
ahora	maintenant
ahora mismo	immédiatement
aire	air
al lado de	à côté de
albornoz	peignoir
alegrarse	se réjouir
alegría	joie
alemán	allemand
alfombra	tapis
algo	quelque chose
alguien	quelqu'un
algún	un quelconque
allí	là-bas
alquilar	louer
alto	haut
alumno	élève
amable	aimable
amarillo	jaune
amiga	amie
amigo	ami
ancho	large
andar	aller
andén	quai
animal	animal
año	an, année
anoche	hier soir
antes	avant
antes de	avant de
antiguo	ancien
apagar	éteindre
aparcamiento	parking
aparcar	se garer
apellido	nom de famille

121

apenas	à peine	barato	bon marché
aprender	apprendre	barco	bateau
apuntar	annoter	barra de labios	rouge à lèvres
aquel	celui-là	bastante	assez
aquello	cela	bastar	suffire
aquí	ici	beber	boire
araña	araignée	beso	baiser
árbol	arbre	bien	bien
armario	armoire	billete	billet, ticket
arreglar	arranger	blanco	blanc
arriba	en haut	bocadillo	sandwich
arroz	riz	boda, f	mariage
asado	rôti, grillé	bolígrafo	stylo bille
ascensor	ascenseur	bolsa	sac
así	comme ça	bolso	sac
asiento	siège	bonheur	felicidad
aspecto	aspect	bonito	joli
auténtico	authentique	borracho	saoul
autobús	autobus	bosque, m	forêt
autopista	autoroute	botella	bouteille
avenida	avenue	bueno	bon
avión	avion	buscar	chercher
ayer	hier		
ayudar	aider		
azafata	hôtesse de l'air		
azúcar,	sucre		
azul, m ou f	bleu		

C

		cabeza	tête
		cacharros, m/pl	vaisselle ordinaire

B

		cada	chaque
		caer	tomber
bailar	danser	café, bar	café
baile, m	danse	caja	caisse
bajar	descendre	cajón	tiroir
bajo	bas	calamar	calamar
bañarse	se baigner	calcetines, m	chaussettes
banco	banc	calefacción, f	chauffage
banco	banque	caliente	chaud
baño	salle de bains	calle	rue
bar	bar	calor, m	chaleur

cama, f	lit	chico	garçon,
camarero	serveur		jeune homme
cambiar	changer	chocolate	chocolat
caminar	marcher	chuleta	côtelette
camino	chemin	cierto	certain
camisa	chemise	cigarillo	cigarette
campo	champ,	cine	cinéma
	campagne	cinturón, m	ceinture
canción	chanson	cita	rendez-vous
canela	cannelle	citarse	se donner
cansado	fatigué		rendez-vous
cantar	chanter	ciudad	ville
capital	capitale	claro	clair
cara	visage	clavo	clou
cariñoso	tendre	coche, m	voiture
carne	viande	cocina	cuisine
carnet	permis de	coger	prendre
de conducir	conduire	cola	queue
carnicería	boucherie	colegio	école
caro	cher	color, m	couleur
carrete, m	pellicule photo	comer	manger
carretera	route	comestibles	comestibles
carta	lettre	comida	nourriture, repas
casa	maison	como	comme
casado	marié	cómo	comment
castillo	château	cómodo	commode
cebolla	oignon	completo	complet
cena	dîner	comprar	acheter
cenar	dîner (verbe)	comprender	comprendre
cenicero	cendrier	con	avec
centro	centre	con mucho	avec plaisir
cepillo, m	brosse	gusto	
cerca	près	condición	condition
cerrar	fermer	conducir	conduire
cerveza	bière	conmigo	avec moi
chaqueta	veste	conocer	connaître
charlar	bavarder	conocido	connu
cheque	chèque	consigna	consigne
chica	fille, jeune fille	consulado	consulat

contar	compter, raconter
contento	content
contestar	répondre
contigo	avec toi
contrato	contrat
convencido	convaincu
copa, f	verre
corazón	cœur
Correos, m	Poste, La
cortés	courtois
cosa	chose
costa	côte (géographie)
costar	coûter
costilla	côte (anatomie)
creer	croire
crema	crème
cristal	verre (matière)
cruel	cruel
cuadrado	carré
cuadro	tableau
cuál	quel
cualquier	n'importe quel
cuando	quand
cuánto	combien
cuántos	combien de, pl
cuarto	chambre
cuarto de estar	salon
cuarto	quart
cubierto	couvert
cubo	seau
cuchara	cuiller
cucharilla	cuiller à café
cuchillo	couteau
cuenta	addition
cuidado	attention
culpa	faute
cumpleaños, m/sing.	anniversaire
curso	cours

D

dar	donner
dar un paseo	faire une promenade
darse cuenta	se rendre compte
de acuerdo	d'accord
de	de
de esta manera	de cette façon
de nada	de rien
de otra manera	autrement
de prisa	vite
debajo de	sous
deber	devoir
decidirse	se décider
decir	dire
dedo del pie	orteil
dedo	doigt
dejar de	arrêter de
dejar	laisser
delante de	devant
demasiado	trop
dentista	dentiste
dentro	dedans, dans
departamento	département
deporte	sport
derecha	droite
desayunar	prendre le petit déjeuner
desayuno	petit déjeuner
descansar	se reposer
desde	depuis
desear	désirer, souhaiter

124

desgraciadamente	malheureusement
desilusionado	déçu
despacho	bureau (pièce)
despacio	lentement
despertarse	se réveiller
después (de)	après
después	ensuite
destino	destin
detrás de	derrière
día	jour
diario	journal
dibujo	dessin
diciembre	décembre
diente, m	dent
diferencia	différence
difícil	difficile
dinero	argent
dios	dieu
dirección	direction
disco	disque
distinto	distinct
distraído	distrait
divertirse	se divertir
doble	double
doler	être douloureux
dolor, m	douleur
domingo	dimanche
dónde	où
dormir	dormir
dormitorio	chambre à coucher
ducha	douche
duda, f	doute
dueño	propriétaire
dulce	sucré
durante	durant
duro	dur

E

edificio	bâtiment
el	le
él	il
ella	elle
empezar	commencer
empleado	employé
en absoluto	pas du tout
en casa	à la maison
en	dans, en
en fin	enfin
en seguida	tout de suite
en total	au total
encantado	enchanté
encender	allumer
enchufe, m	prise de courant
encontrar	trouver
encontrarse	se trouver, se retrouver
enero	janvier
enfadarse	se fâcher
enfermo	malade
enfrente	en face
ensalada	salade
enseñar	montrer
entender	comprendre
entero	entier
entonces	alors
entrada	entrée
entrar	entrer
entre	entre
entrevista	interview, entrevue
equivocarse	se tromper
escribir	écrire
escuela	école
eso	ça
España	Espagne

español	espagnol	feo	laid
especial, m ou f	spécial	ficha	fiche
especie	espèce	fiebre	fièvre
esperar	attendre	filete	filet (viande)
está bien	ça va	fino	fin, mince
estación de servicio, gasolinera	station service	firmar	signer
		flor	fleur
		foto	photo
estación	gare	fregar los platos	faire la vaisselle
estar	être	fresa	fraise
esto	ceci	frigorífico	réfrigérateur
estrecho	étroit	frío	froid
estropeado	abîmé	frito	frit
estudiar	étudier	fruta	fruit
estupendo	super	fuego	feu
europeo	européen	fuente	fontaine, source
examen	examen		
excelente	excellent	fuera	dehors
excursión	excursion	fuerte	fort
éxito	succès	fumar	fumer
experiencia	expérience	funcionar	fonctionner
explicar	expliquer	fútbol	football
exportar	exporter		
extranjero	étranger		

G

		gafas	lunettes
		ganar	gagner
F		ganas, f/pl	envie
		garaje, m	garage
fácil, m ou f	facile	gasolina	essence
falda	jupe	gastar	dépenser
faltar	manquer	gato	chat
famoso	célèbre	general	général
farmacia	pharmacie	gente, f	gens
faro	phare	gobierno	gouvernement
favor, m	faveur	golpe	coup
febrero	février	gordo	gros
felicidades!	meilleurs souhaits !	gota	goutte
		gracias	merci
felicitar	féliciter		
feliz	heureux		

gramo	gramme
grande, m ou f	grand
grasa	graisse
grave	grave
gris	gris
gritar	crier
grupo	groupe
guapo	mignon
guisante	petit pois
guitarra	guitare
gustar	plaire
gusto	goût

H

habitación	chambre
habitante	habitant
hablar	parler
hacer daño	faire mal
hacer	faire
hacia	jusqu'à (direction)
hambre, m	faim
harina	farine
hasta	jusqu'à
hay	il y a
hay que	il faut
helado, m	glace
hermana	sœur
hermano	frère
hielo	glaçon
hija	fille (fém. de fils)
hijo	fils
hoja	feuille
hola!	salut !
hombre	homme
hora	heure
hospital	hôpital

hoy	aujourd'hui
huelga	grève
huésped	hôte
huevo	œuf
húmedo	humide

I

ida, f	aller
iglesia	église
igual	égal
importante	important
importar	importer
imposible	impossible
impresión	impression
impuestos	impôts
incluido	inclus
inglés	anglais
intención	intention
invierno	hiver
invitar	inviter
ir a...	futur proche
ir	aller
irse a la cama	aller au lit
irse	s'en aller
isla	île
izquierda	gauche

J

jabón	savon
jamón	jambon
jaqueca	migraine
jardín	jardin
jefe	chef
jersey	pull-over
joven	jeune
judía	haricot
jueves	jeudi

127

jugar	jouer
jugo	jus
junto a	près de
juntos	ensemble

L

la	la
lado	côté
lago	lac
lámpara	lampe
lana	laine
lápiz	crayon
largo	long
lástima	dommage
lata	boîte en fer blanc
lavabo	lavabo
lavarse	se laver
leche, f	lait
leer	lire
lejos	loin
lento	lent
levantarse	se lever
libre	libre
libro	livre
ligero	léger
limón	citron
limpiar	nettoyer
limpio	propre
litro	litre
llamar	appeler
llamarse	s'appeler
llave	clé
llegar	arriver
llcno	plein
llevar	emporter, porter
llevarse	emporter avec soi

llorar	pleurer
llover	pleuvoir
lo	ce, le
lo más importante	le plus important
lo que	ce que
loco	fou
luchar	lutter
luz	lumière

M

madera	bois (matière)
madre	mère
mal	mal
maleta	valise
malo	mal
mañana	demain
mañana, f	matin
mandar	envoyer
mano	main
manta	couverture
mantel, m	nappe
mantequilla, f	beurre
manzana	pomme
máquina	machine
mar, f ou m	mer
marcharse	partir
mareado	nauséeux
marido	mari
marrón	marron
martes	mardi
más	davantage
más o menos	plus ou moins
más	plus, davantage
matar	tuer
me	me
médico	médecin
medio	demi

mejor	meilleur, mieux	nada	rien
mejorar	améliorer	nadar	nager
melocotón, m	pêche	nadie	personne
menos	moins	navaja, f	canif
menú, m	menu, carte (restaurant)	Navidad, f	Noël
mercado	marché	necesario	nécessaire
mermelada	confiture	necesitar	avoir besoin
mes	mois	negro	noir
mesa	table	nevar	neiger
meter	mettre	nevera	frigidaire
mi	ma, mon	nieve	neige
mí	mien, mienne	niña	petite fille
miel, f	miel	ninguno	aucun
miércoles	mercredi	niño	petit garçon
mío	mien	no	non
mirar	regarder	no + *verbe*	pas, ne pas
mismo	même	noche	nuit
mitad	moitié	nombre	nom
molestar	incommoder	norte	nord
moneda	monnaie	nosotros	nous
montaña	montagne	noticia	nouvelle (information)
moreno	brun		
morir	mourir	novia	fiancée
moto	moto	novio	fiancé
mozo	jeune homme	nube, f	nuage
muchas gracias	merci beaucoup	nuestro	notre
mucho	beaucoup	nuevo	neuf, nouveau
mucho tiempo	longtemps	número	nombre, numéro
mueble	meuble	nunca	jamais
mujer	femme		
mundo	monde		
muñeca	poupée		
museo	musée		
muy	très		

O

		obrero	ouvrier
		oeste	ouest
		oficina, f	bureau (travail)
		oir	entendre
		ojalá	pourvu que
		ojo	œil
nacer	naître	olvidar	oublier

N

129

opinión	opinion	partido	parti
oportunidad	opportunité	pasado mañana	après-demain
oreja	oreille	pasado	passé
orilla	rivage	pasaporte	passeport
os	vous (complément)	pasar	passer
		Pascuas	Pâques
otoño	automne	paseo	promenade
otra vez	encore une fois	pastel	gâteau
otro	autre	patata	pomme de terre
		patrón	patron
		pedazo	morceau
		pedir	demander

P

		peine	peigne
padre	père	pelearse	se battre
padres	parents	película	film
pagar	payer	peligroso	dangereux
país	pays	pelo	cheveu
paisaje	paysage	pelota	balle
paja	paille	peluquería	salon de coiffure
pájaro	oiseau		
palabra	mot, parole	pena	peine
paloma, f	pigeon	peor	pire
pan	pain	pequeño	petit
panadería	boulangerie	pera	poire
pantalón	pantalon	perder	perdre
pañuelo	mouchoir	perdón	pardon
papel	papier	perdonar	pardonner
paquete	paquet	perejil	persil
para	pour	periódico	journal
para que	pour que	permanente, f	permanente (coif.)
para ti	pour toi		
parada	arrêt	permanente	permanent
parar	arrêter	permitir	permettre
pararse	s'arrêter	pero	mais
parecer	sembler	perro	chien
parecido	ressemblant	pesado	lourd, pesant, ennuyeux
pared, f	mur		
parque	parc	pescadería	poissonnerie
parte	partie	pescado	poisson
partida	partie (jeu)		

peso	poids	probable	probable
picante	piquant	probar	essayer, goûter
pie	pied	probarse	essayer
piedra	pierre	un vestido	un vêtement
piel, f	cuir, peau	prohibir	interdire
pimienta, f	poivre	prometer	promettre
piña, f	ananas	pronto	bientôt
pintar	peindre	propina, f	pourboire
piscina	piscine	protestar	protester
piso	étage	próximo	prochain
plata, f	argent (métal)	pueblo	peuple, village
plátano, m	banane	puente	pont
plato, m	assiette	puerta	porte
playa	plage	puerto	port
plaza	place	pues	donc
pobre	pauvre		
poco	peu		
poder	pouvoir		

Q

pollo	poulet	que	que
poner	mettre	qué	quoi
ponerse	se mettre	quedar	rester
por ciento	pour cent	quedarse	rester
por ejemplo	par exemple	querer	aimer, vouloir
por favor	s'il te/vous plaît	quererse	s'aimer
por fin	enfin	querido	cher (sentiment)
por lo menos	au moins	queso	fromage
por qué	pourquoi	quién	qui
porque	parce que	quiénes, pl	qui, pl
posible	possible	quitar	enlever
postre	dessert	quitarse	ôter (un
potable	potable		vêtement)
precio	prix	quizás	peut-être
preferir	préférer		

R

preguntar	demander	radio	radio
preocuparse	se préoccuper	rápido	rapide
preparar	préparer	razón	raison
presentar	présenter	receta	recette
primavera, f	printemps		
primero	premier		

131

recibir	recevoir	saludar	saluer
recoger	ramasser	sangría	sangria
recomendar	recommander	sano	sain
recuerdo	souvenir	sartén	poêle
redondo	rond	se	se
refresco	rafraîchissement	se trata de	il s'agit de
regalo	cadeau	seco	sec
región	région	secreto	secret
reir	rire	sed	soif
reloj, m	montre	seguir	continuer,
reparar	réparer		suivre
repetir	répéter	seguro	sûr
restaurante	restaurant	sello	timbre
resulta que	ce qui fait que	semáforo	feu de
retraso	retard		signalisation
revista	revue	semana	semaine
rey	roi	sencillo	simple
rico	riche	señor	monsieur
río, m	rivière, fleuve	señora	dame
rodilla, f	genou	señorita	demoiselle
rojo	rouge	sentar	asseoir
romperse	se casser	sentarse	s'asseoir
ropa, f/sing.	vêtements	sentir	regretter,
roto	cassé		ressentir
rubio	blond	sentirse	se sentir
ruido	bruit	ser	être
		servicios	toilettes
		si	si

S

		sí	oui
sábado	samedi	siempre	toujours
sábana	drap	siesta	sieste
saber	savoir	siguiente	suivant
sacar	sortir (quelque	silla	chaise
	chose)	sillón	fauteuil
sal, f	sel	simpático	sympathique
sala de estar	salle de séjour	sin	sans
salida	sortie	sindicato	syndicat
salir	sortir	sistema	système
salud	santé	sitio	endroit

situación	situation	temprano	tôt
sobre	sur	tenedor, m	fourchette
sobre, m	enveloppe	tener	avoir
sol	soleil	tener que	devoir
solamente	seulement	terminar	terminer
sólo	seulement	testigo	témoin
solución, f	solution	tía	tante
sombra	ombre	tiempo	temps
sombrero	chapeau	tienda	boutique
sombrilla	parasol	tienda de campana	tente
sopa	soupe	tierno	touchant
sordo	sourd	tío	oncle
su	sa, son, votre	típico	typique
subir	monter	tirar	jeter, tirer
sucio	sale	toalla	serviette de bain
suelo	sol	tocadiscos	tourne-disques
suerte	chance	tocar	jouer
suficiente	suffisant	(instrument)	
sur	sud	tocar	toucher
		todavía	encore
		todo el día	toute la journée
T		todo	tout
		todos	tous
taberna, f	bistrot	tomar	prendre
taller	atelier	tomate, m	tomate
tamaño, m	taille	torre	tour (bâtiment)
también	aussi	tostada, f	pain grillé
tampoco	non plus	totalmente	entièrement
tan	tant	trabajar	travailler
tanto	autant	trabajo	travail
tardar	tarder	traer	apporter
tarde, f	après-midi, soir	tráfico, m	circulation
tarde	tard		(routière)
tarjeta postal	carte postale	traje	costume
taza	tasse	tranquilo	tranquille
te	te	tratar de	essayer de
té	thé	tren	train
teatro	théâtre	triste	triste
teléfono	téléphone	tu	ta, ton
televisión	télévision		

133

tú	tu
tuya	tienne
tuyo	tien

U

último	dernier
unas	quelques, f
único	unique
unos	quelques, m
usted	vous (singulier poli)
uva, f	raisin

V

vacaciones	vacances
vacío	vide
vajilla	vaisselle
valle, m	vallée
vale!	d'accord !
varios	différents (dans le sens de variés)
vaso	verre (récipient)
vela	bougie
vender	vendre
venir	venir
ventana	fenêtre
ver	voir
verano	été
verdad	vérité

verde, m ou f	vert
verdura, f sing.	légumes
vestido, m	robe
vez	fois
viajar	voyager
viaje	voyage
vida	vie
viejo	vieux
viento	vent
viernes	vendredi
vino	vin
visitar	visiter
vivir	vivre
volver a hacer	refaire
volver	retourner
vosotros	vous (pluriel)
vuelta	retour
vuestro	votre

W

y	et
ya	déjà
ya no	plus (négation)
yo	je

Z

zapato	chaussure
zumo	jus de fruits frais

Lexique français-espagnol

A

à	a
à côté de	al lado de
à droite	a la derecha
à gauche	a la izquierda
à la maison	en casa
à peine	apenas
à temps	a tiempo
abîmé	estropeado
accident	accidente
acheter	comprar
addition	cuenta
aéroport	aeropuerto
affectueux	afectuoso
agréable	agradable
agriculture	agricultura
aider	ayudar
aimable	amable
aimer, vouloir	querer
air	aire
allemand	alemán
aller (verbe)	andar, ir
aller	ida
aller au lit	irse a la cama
allumer	encender
alors	entonces
améliorer	mejorar
ami	amigo
amie	amiga
an, année	año
ananas	piña
ancien	antiguo
anglais	inglés
animal	animal
anniversaire	cumpleaños, m/sing.

annoter	apuntar
appeler	llamar
appeler	llamar
appeler, s'	llamarse
apporter	traer
apprendre	aprender
après	después (de)
après-demain	pasado mañana
après-midi	tarde, f
araignée	araña
arbre	árbol
argent	dinero
argent (métal)	plata
armoire	armario
arranger	arreglar
arrêt	parada
arrêter	parar
arrêter de	dejar de
arriver	llegar
ascenseur	ascensor
aspect	aspecto
asseoir	sentar
assez	bastante
assiette	plato
atelier	taller
attendre	esperar
attention	cuidado
au moins	por lo menos
au revoir	adiós
au total	en total
aucun	ninguno
aujourd'hui	hoy
aussi	también
autant	tanto
authentique	auténtico
autobus	autobús

automne	otoño
autoroute	autopista
autre	otro
autrement	de otra manera
avant	antes
avant (de)	antes de
avec	con
avec moi	conmigo
avec plaisir	con mucho gusto
avec toi	contigo
avenue	avenida
avion	avión
avoir	tener
avoir besoin	necesitar

B

baiser	beso
balle	pelota
banane	plátano, m
banc	banco
banque	banco
bar	bar
bas	bajo
bateau	barco
bâtiment	edificio
bavarder	charlar
beaucoup	mucho
besoin, avoir	necesitar
beurre	mantequilla, f
bien	bien
bientôt	pronto
bière	cerveza
billet	billete
bistrot	taberna, f
blanc	blanco
bleu	azul, m ou f
blond	rubio

boire	beber
bois (matière)	madera, f
boîte en fer blanc	lata
bon	bueno
bon marché	barato
boucherie	carnicería
bougie	vela
boulangerie	panadería
bouteille	botella
boutique	tienda
brosse	cepillo, m
bruit	ruido
brun	moreno
bureau (pièce)	despacho
bureau (travail)	oficina

C

ça	eso
ça va	está bien
cadeau	regalo
café	café, bar
caisse	caja
calamar	calamar
canif	navaja, f
cannelle	canela
capitale	capital
carré	cuadrado
carte (restaurant)	menú, m
carte postale	tarjeta postal
cassé	roto
casser, se	romperse
ce	lo
ce que	lo que
ce qui fait que	resulta que
ceci	esto
ceinture	cinturón, m
cela	aquello
célèbre	famoso

136

celui-là	aquel	clé	llave
cendrier	cenicero	clou	clavo
centre	centro	cœur	corazón
certain	cierto	combien	cuánto
chaise	silla	combien de, pl	cuántos, cuántas
chaleur	calor, m	comestibles	comestibles
chambre	cuarto	comme	como
chambre	habitación	comme ça	así
chambre à coucher	dormitorio, m	commencer	empezar
chance	suerte	comment	cómo
champ	campo	commode	cómodo
changer	cambiar	complet	completo
chanson	canción	comprendre	comprender, entender
chanter	cantar		
chapeau	sombrero	compter	contar
chaque	cada	condition	condición
chat	gato	conduire	conducir
château	castillo	confiture	mermelada
chaud	caliente	connaître	conocer
chauffage	calefacción, f	connu	conocido
chaussettes	calcetines, m	consigne	consigna
chaussure	zapato	consulat	consulado
chef	jefe	content	contento
chemin	camino	continuer	seguir
chemise	camisa	contrat	contrato
chèque	cheque	convaincu	convencido
cher	caro	costume	traje
cher (sentiment)	querido	côté	lado
chercher	buscar	côte (anatomie)	costilla
cheveu	pelo	côte (géographie)	costa
chien	perro	côtelette	chuleta
chocolat	chocolate	couleur	color, m
chose	cosa	coup	golpe
cigarette	cigarillo	cours	curso
cinéma	cine	courtois	cortés
circulation (routière)	tráfico	couteau	cuchillo
		coûter	costar
citron	limón	couvert	cubierto
clair	claro	couverture	manta

crayon	lápiz
crème	crema
crier	gritar
croire	creer
cruel	cruel
cuiller	cuchara
cuiller à café	cucharilla
cuir, peau	piel, f
cuisine	cocina

D

d'accord	de acuerdo
d'accord !	vale!
dame	señora
dangereux	peligroso
dans	en
danse	baile, m
danser	bailar
davantage	más
de	de
de cette façon	de esta manera
de rien	de nada
décembre	diciembre
déçu	desilusionado
dedans	dentro
dehors	fuera
déjà	ya
demain	mañana
demander	preguntar, pedir
demi	medio
demoiselle	señorita
dent	diente, m
dentiste	dentista
département	departamento
dépenser	gastar
depuis	desde
dernier	último
derrière	detrás de

descendre	bajar
désirer	desear
dessert	postre
dessin	dibujo
destin	destino
devant	delante de
devoir	deber, tener que
dieu	dios
différence	diferencia
différents (variés)	varios
difficile	difícil
dimanche	domingo
dîner	cena
dîner (verbe)	cenar
dire	decir
direction	dirección
disque	disco
distinct	distinto
distrait	distraído
doigt	dedo
dommage	lástima, f
donc	pues
donner	dar
dormir	dormir
douane	aduana
double	doble
douche	ducha
douleur	dolor, m
doute	duda
drap	sábana, f
droite	derecha
dur	duro
durant	durante

E

eau	agua ("el" mais fém.)
école	escuela

écrire	escribir	essayer de	tratar de
égal	igual	essayer	probarse
église	iglesia	un vêtement	un vestido
élève	alumno	essence	gasolina
elle	ella	et	y
employé	empleado	étage	piso
emporter	llevarse	été	verano
avec soi		éteindre	apagar
emporter,	llevar	étranger	extranjero
porter		être	ser, estar
en avant	adelante	être douloureux	doler
en face	enfrente	étroit	estrecho
en face de	enfrente de	étudier	estudiar
en haut	arriba	européen	europeo
en plus	además	examen	examen
en, dans	en	excellent	excelente
enchanté	encantado	excursion	excursión
encore	todavía	expérience	experiencia
encore une fois	otra vez	expliquer	explicar
endroit	sitio	exporter	exportar
enfin	en fin		
enfin	por fin	**F**	
enlever	quitar		
ennuyeux	aburrido	facile	fácil
ensemble	juntos	faim	hambre, m
ensuite	después	faire	hacer
entendre	oir	faire la vaisselle	fregar los platos
entier	entero	faire mal	hacer daño
entièrement	totalmente	faire une	dar un paseo
entre	entre	promenade	
entrée	entrada	farine	harina
entrer	entrar	fatigué	cansado
enveloppe	sobre, m	faute	culpa
envie	ganas, f/pl	fauteuil	sillón
envoyer	mandar	faveur	favor
Espagne	España	felicidad	bonheur
espagnol	español	féliciter	felicitar
espèce	especie	femme	mujer
essayer	probar	fenêtre	ventana

139

fermer	cerrar
feu	fuego
feu de signalisation	semáforo
feuille	hoja
février	febrero
fiancé	novio
fiancée	novia
fiche	ficha
fièvre	fiebre
filet (viande)	filete
fille (fém. de fils)	hija
fille, jeune fille	chica
fille, petite	niña
film	película
fils	hijo
fin, mince	fino
fleur	flor
fois	vez
fonctionner	funcionar
fontaine	fuente
football	fútbol
forêt	bosque
fort	fuerte
fou	loco
fourchette	tenedor, m
fraise	fresa
frère	hermano
frigidaire	nevera
frit	frito
froid	frío
fromage	queso
fruit	fruta
fumer	fumar
futur proche	ir a...

G

gagner	ganar

garage	garaje
garçon, jeune	chico
garçon, petit	niño
gare	estación
garer, se	aparcar
gâteau	pastel
gauche	izquierda
général	general
genou	rodilla, f
gens	gente, f
glace	helado, m
glaçon	hielo
goût	gusto
goûter	probar
goutte	gota
gouvernement	gobierno
graisse	grasa
gramme	gramo
grand	grande
grave	grave
grève	huelga
gris	gris, m ou f
gros	gordo
groupe	grupo
guitare	guitarra

H

habitant	habitante
haricot	judía, f
haut	alto
heure	hora
heureux	feliz
hier	ayer
hier soir	anoche
hiver	invierno
homme	hombre
hôpital	hospital
hôte	huésped

hôtesse de l'air	azafata
huile	aceite, m
humide	húmedo

I

ici	aquí
il	él
il faut	hay que
il s'agit de	se trata de
il y a	hay
île	isla
immédiatement	ahora mismo
important	importante
importer	importar
impossible	imposible
impôts	impuestos
impression	impresión
inclus	incluido
incommoder	molestar
intention	intención
interdire	prohibir
interview, entrevue	entrevista
inviter	invitar

J

jamais	nunca
jambon	jamón
janvier	enero
jardin	jardín
jaune	amarillo
je	yo
jeter	tirar
jeudi	jueves
jeune	joven
jeune homme	mozo
joie	alegría

joli	bonito
jouer	jugar
jouer (instrument)	tocar
jour	día, m
journal	diario, periódico
journal	periódico
jupe	falda
jus	jugo
jus de fruits frais	zumo
jusqu'à	hasta
jusqu'à (direction)	hacia

L

la	la
là	ahí
là-bas	allí
lac	lago
laid	feo
laine	lana
laisser	dejar
lait	leche, f
lampe	lámpara
large	ancho
lavabo	lavabo
le	el, lo
le plus important	lo más importante
léger	ligero
légumes	verdura, f/sing.
lent	lento
lentement	despacio
lequel	cuál
lettre	carta
libre	libre
lire	leer
lit	cama, f
litre	litro
livre	libro

loin	lejos
loin de	lejos de
long	largo
longtemps	mucho tiempo
louer	alquilar
lourd	pesado
lumière	luz
lunettes	gafas
lutter	luchar

M

ma, mon	mi
machine	máquina
main	mano
maintenant	ahora
mais	pero
maison	casa
mal	mal
malade	enfermo
malheureusement	desgraciadamente
manger	comer
manquer	faltar
manteau	abrigo
marché	mercado
marcher	caminar
mardi	martes
mari	marido
mariage	boda
marié	casado
marron	marrón
matin	mañana
me	me
médecin	médico
meilleur	mejor, m ou f
meilleurs souhaits !	felicidades!
même	mismo
menu, carte	menú
mer	mar, f ou m

merci	gracias
merci beaucoup	muchas gracias
mercredi	miércoles
mère	madre
mettre	meter
mettre	poner
mettre, se	ponerse
meuble	mueble
miel	miel, f
mien	mío
mien, mienne	mí
mieux	mejor
mignon	guapo
migraine	jaqueca
moins	menos
mois	mes
moitié	mitad
mon, ma	mi
monde	mundo
monnaie	moneda
monsieur	señor
montagne	montaña
monter	subir
montre	reloj, m
montrer	enseñar
morceau	pedazo
mot	palabra
moto	moto
mouchoir	pañuelo
mourir	morir
mur	pared, f
musée	museo

N

nager	nadar
naître	nacer
nappe	mantel, m
nauséeux	mareado

nécessaire	necesario	oui	sí
neige	nieve	ouvrier	obrero
neiger	nevar	ouvrir	abrir
nettoyer	limpiar		
neuf	nuevo		
n'importe quel	cualquier	**P**	
Noël	Navidad, f		
noir	negro	paille	paja
nom	nombre	pain	pan
nom de famille	apellido	pain grillé	tostada
nombre	número	pantalon	pantalón
non	no	papier	papel
non plus	tampoco	Pâques	Pascuas
nord	norte	paquet	paquete
notre	nuestro	par exemple	por ejemplo
nourriture, repas	comida	parasol	sombrilla
nous	nosotros	parc	parque
nouveau	nuevo	parce que	porque
nouvelle	noticia	pardon	perdón
(information)		pardonner	perdonar
nuage	nube, f	parents	padres
nuit	noche	parfois	a veces
numéro	número	parking	aparcamiento
		parler	hablar
O		parole	palabra
		parti	partido
œil	ojo	partie	parte
œuf	huevo	partie (jeu)	partida
oignon	cebolla	partir	marcharse
oiseau	pájaro	pas du tout	en absoluto
ombre	sombra	pas, ne pas	no
oncle	tío	passé	pasado
opinion	opinión	passeport	pasaporte
opportunité	oportunidad	passer	pasar
oreille	oreja	patron	patrón
orteil	dedo del pie	pauvre	pobre
ôter (un vêtement)	quitarse	payer	pagar
où	dónde	pays	país
oublier	olvidar	paysage	paisaje
ouest	oeste	peau	piel

143

pêche	melocotón, m	plus, davantage	más
peigne	peine	poêle	sartén
peignoir	albornoz	poids	peso
peindre	pintar	poire	pera
peine	pena	poisson	pescado
pellicule photo	carrete, m	poissonnerie	pescadería
perdre	perder	poivre	pimienta
père	padre	policier	policía
permanent	permanente	pomme	manzana
permanente (coif.)	permanente	pomme de terre	patata
permettre	permitir	pont	puente
permis	carnet	port	puerto
de conduire	de conducir	porte	puerta
persil	perejil	porter	llevar
personne	nadie	porter, emporter	llevar
pesant, ennuyeux	pesado	possible	posible
petit	pequeño	Poste, La	Correos, m
petit déjeuner	desayuno	potable	potable
petit pois	guisante, m	poulet	pollo
peu	poco	poupée	muñeca
peuple	pueblo	pour	para
peut-être	quizás	pour cent	por ciento
phare	faro	pour que	para que
pharmacie	farmacia	pour toi	para tí
photo	foto	pourboire	propina
pied	pie	pourquoi	por qué
pierre	piedra	pourvu que	ojalá
pigeon	paloma	pouvoir	poder
piquant	picante	préférer	preferir
pire	peor	premier	primero
piscine	piscina	prendre	coger
place	plaza	prendre	tomar
plage	playa	prendre le	desayunar
plaire	gustar	petit déjeuner	
plein	lleno	préparer	preparar
pleurer	llorar	près	cerca
pleuvoir	llover	près de	junto a, cerca de
plus (négation)	ya no	présenter	presentar
plus ou moins	más o menos	printemps	primavera, f

prise de courant	enchufe, m
prix	precio
probable	probable
prochain	próximo
promenade	paseo
promettre	prometer
propre	limpio
propriétaire	dueño
protester	protestar
pull-over	jersey

Q

quai	andén
quand	cuando
quart	cuarto
que	que
quelque chose	algo
quelques, f	unas
quelques, m	unos
quelqu'un	alguien
queue	cola
qui	quién
qui, pl	quiénes, pl
quoi	qué

R

raconter	contar
radio	radio
rafraîchissement	refresco
raisin	uva
raison	razón
ramasser	recoger
rapide	rápido
recette	receta
recevoir	recibir
recommander	recomendar
refaire	volver a hacer

réfrigérateur	frigorífico
regarder	mirar
région	región
regretter	sentir
rencontrer, se	encontrarse
rendez-vous	cita, f
réparer	reparar
repas, nourriture	comida
répéter	repetir
répondre	contestar
ressemblant	parecido
ressentir	sentir
restaurant	restaurante
rester	quedar
rester	quedarse
retard	retraso
retour	vuelta
retourner	volver
revue	revista
riche	rico
rien	nada
rire	reir
rivage	orilla
rivière, fleuve	río
riz	arroz
robe	vestido, m
roi	rey
rond	redondo
rôti, grillé	asado
rouge	rojo
rouge à lèvres	barra de labios, f
route	carretera
rue	calle

S

sa, son	su
sac	bolsa, bolso
s'aimer	quererse

sain	sano	se réveiller	despertarse
salade	ensalada	se tromper	equivocarse
sale	sucio	se trouver,	encontrarse
salle de bains	baño	se retrouver	
salle de séjour	sala de estar	seau	cubo
salon	cuarto de estar	sec	seco
salon de coiffure	peluquería	secret	secreto
saluer	saludar	sel	sal, f
salut !	hola!	semaine	semana
samedi	sábado	sembler	parecer
sandwich	bocadillo	s'en aller	irse
sangria	sangría	sentir, se	sentirse
sans	sin	serveur	camarero
santé	salud	serviette de bain	toalla
saoul	borracho	seulement	solamente
s'appeler	llamarse	seulement	sólo
s'arrêter	pararse	si	si
s'asseoir	sentarse	siège	asiento
savoir	saber	sieste	siesta
savon	jabón	signer	firmar
se	se	s'il te/vous plaît	por favor
se baigner	bañarse	simple	sencillo
se battre	pelearse	situation	situación
se casser	romperse	sœur	hermana
se décider	decidirse	soif	sed
se divertir	divertirse	soir	tarde, f
se donner	citarse	sol	suelo
rendez-vous		soleil	sol
se fâcher	enfadarse	solution	solución
se laver	lavarse	son, sa	su
se lever	levantarse	sortie	salida
se mettre	ponerse	sortir	salir
se préoccuper	preocuparse	sortir (qqch.)	sacar
se rappeler	acordarse	souhaiter	desear
se raser	afeitarse	soupe	sopa
se réjouir	alegrarse	source	fuente, f
se rendre	darse cuenta	sourd	sordo
compte		sous	debajo de
se reposer	descansar	souvenir	recuerdo

146

souvent	a menudo	temps	tiempo
spécial	especial, m ou f	tendre	cariñoso
		tente	tienda de campana
sport	deporte		
station service	estación de servicio, gasolinera	terminer	terminar
		tête	cabeza
		thé	té
stylo bille	bolígrafo	théâtre	teatro
succès	éxito	tien	tuyo
sucre	azúcar	tienne	tuya
sucré	dulce	timbre	sello
sud	sur	tirer	tirar
suffire	bastar	tiroir	cajón
suffisant	suficiente	toilettes	servicios
suivant	siguiente	tomate	tomate, m
suivre	seguir	tomber	caer
super	estupendo	ton	tu
sur	sobre	tôt	temprano
sûr	seguro	touchant	tierno
sympathique	simpático	toucher	tocar
syndicat	sindicato	toujours	siempre
système	sistema	tour (bâtiment)	torre
		tourne-disques	tocadiscos
T		tous	todos
		tout	todo
ta	tu	tout de suite	en seguida
table	mesa	toute la journée	todo el día
tableau	cuadro	train	tren
taille	tamaño	tranquille	tranquilo
tant	tan	travail	trabajo
tante	tía	travailler	trabajar
tapis	alfombra	très	muy
tard	tarde	triste	triste
tarder	tardar	trop	demasiado
tasse	taza	trouver	encontrar
te	te	tu	tú
téléphone	teléfono	tuer	matar
télévision	televisión	typique	típico
témoin	testigo		

U

un quelconque	algún
unique	único

V

vacances	vacaciones
vaisselle	vajilla
vaisselle ordinaire	cacharros, m/pl
valise	maleta
vallée	valle, m
vendre	vender
vendredi	viernes
venir	venir
venir de	acabar de
vent	viento
vérité	verdad
verre	copa
verre (matière)	cristal
verre (récipient)	vaso
vers où	adónde
vert	verde
veste	chaqueta
vêtements	ropa
viande	carne
vide	vacío
vie	vida
vieux	viejo
village	pueblo
ville	ciudad
vin	vino
visage	cara
visiter	visitar
vite	de prisa
vivre	vivir
voir	ver
voiture	coche, m
votre	su
votre	vuestro
vouloir	querer
vouloir, aimer	querer
vous (compl.)	os
vous (pluriel)	vosotros
vous (sing. polit.)	usted
voyage	viaje
voyager	viajar
voyons si	a ver si

N° édition 1941 : Guide de poche ESPAGNOL

Achevé d'imprimer en mai 2003 sur les presses de NOAO PRODUCT Saint-Brieuc
Imprimé en France